10 18

12, avenue d'Italie — Paris XIIIe

Sur l'auteur

Tom Wolfe est né en 1931 à Richmond en Virginie. Après des études de lettres à Yale, il commence, en 1957, une carrière de journaliste à New York au *Washington Post,* puis à *Esquire.* Dès 1965, il brandit l'étendard du « Nouveau Journalisme ». Il veut être le greffier du siècle, et c'est dans une prose rapide, syncopée, tout en onomatopées qu'il publie ses « scènes d'Amérique » prises sur le vif : une course de stock-cars en Caroline du Nord, un reportage sur Cassius Clay... Par la suite il publiera différents documents tels que *Le Gauchisme de Park Avenue* (1972), *Acid Test* (1975) ou *L'Étoffe des héros* (1982), mais c'est avec son premier roman, *Le Bûcher des Vanités*, qu'il a été révélé aux États-Unis. Ce titre, publié en France en 1988 et salué par la presse comme « la meilleure photographie des années 80 jamais réalisée à ce jour », a été adapté au cinéma en 1990 par Brian de Palma. Son dernier roman, *Un homme, un vrai (A Man in Full),* paru aux États-Unis en 1998, est devenu immédiatement un nouveau best-seller.

EMBUSCADE
À FORT BRAGG

PAR

TOM WOLFE

Traduit de l'américain
par Benjamin LEGRAND

« *Domaine étranger* »
dirigé par Jean-Claude Zylberstein

ROBERT LAFFONT

Si vous désirez être régulièrement tenu au courant
de nos publications, écrivez-nous :

Éditions 10/18
c/o 01 Consultants (titre n° 3071)
35, rue du Sergent Bauchat
75012 Paris

Titre original :
Ambush at Fort Bragg

PREMIÈRE PARTIE

Moi, Irv

Bien après minuit, dans la régie de la chaîne à New York, un homme et une femme étaient assis dans une cabine de verre et regardaient deux moniteurs TV. L'homme avait une quarantaine d'années, mais il était déjà presque chauve, hormis une étroite petite plate-bande de cheveux rouquins en haut du crâne, comme un écouteur de walkman au-dessus de ce dôme couvert de taches de rousseur. Il avait des bajoues, des lunettes de presbyte, le dos voûté, des épaules rondes et une belle bouée devant l'estomac que son vieux sweater gris rendait encore plus visible. Il avait aussi la manie de se déhancher mollement sur son siège pour que son poids repose sur la base de sa colonne vertébrale. En bref, c'était un gros mollasson ; ce dont il se rendait bien compte ; et dont il se fichait éperdument.

La femme avait presque exactement son âge, mais elle avait une magnifique masse de cheveux blonds et tout un répertoire de postures comme il faut. Elle était solidement charpentée, avait de belles et larges épaules et portait des pantalons de flanelle blanc cassé et une veste cintrée en tweed couleur de bruyère sur une blouse de soie ivoire. Chaque élément de cet ensemble, même ses chaussures à talons plats, coûtait plus que toute la garde-robe qu'il aurait pu porter, lui, en une semaine. Par comparaison, il avait l'air complètement insignifiant. Il s'en rendait bien compte, et il s'en fichait tout aussi éperdument.

De temps à autre, il lui jetait un regard, à cette grande mamma blonde assise là, droite comme une gamine de treize ans sur un cheval dans un concours de jumping, et il s'effondrait un peu plus. Lui, il avait abandonné en ce qui concernait les postures, l'équilibre, le port gracieux, les premières impressions et toutes les autres superficialités dans lesquelles Sa Blondeur excellait. Nom de Dieu, à quoi cela pouvait-il bien servir, tout cet équilibre et toute cette grâce quand vous étiez dans une cabine au beau milieu de la nuit, en train de visionner des images piratées?

À travers les cloisons de verre de la cabine, il apercevait un mur de moniteurs luisants qui crachaient des images dans la régie principale. Ou plutôt, il les voyait sans les voir. La seule chose importante pour l'instant, c'étaient les deux écrans en face de son visage, et que Madame La Bombe y prête attention. Pour lui, ce qui se passait sur ces deux écrans était l'événement le plus important au monde.

Les deux moniteurs retransmettaient différentes vues de la même action, via un câblage de fibre optique d'un prix astronomique. Sur les écrans il pouvait voir trois jeunes Blancs en tee-shirt, âgés de vingt et un ou vingt-deux ans, certainement pas plus, des garçons en fait, des *boys* qui buvaient de la bière dans un box garni de banquettes en skaï usé, d'une table en formica couverte de taches et d'une petite lampe d'ambiance. Tous trois avaient des mâchoires aux lignes douces, presque tendres, et du rose aux joues. Leurs cheveux étaient coupés si ras que leurs oreilles semblaient jaillir de leurs crânes. Pétés et heureux, ils irradiaient la rude santé animale de la jeunesse, même sous l'éclairage glauque du bar topless retransmis dans la cabine par la fibre optique.

À cette heure, passé minuit, ils devenaient loquaces. Leur conversation se frayait un passage à travers le martèlement irritant d'un orchestre de country métal, hors du champ des caméras. Et pourtant les merveilles de la surveillance électronique moderne – dans ce cas précis, le micro planqué dans la lampe sur la table – étaient telles qu'on pouvait entendre chaque mot qu'ils prononçaient, si on pouvait appeler ça des mots.

Le plus grand des trois garçons parlait, celui tout en muscles. Sa voix avait des intonations puériles :

– Mec... kesta à dir'qu'des s'lades ?

– Dieu du ciel, Irv, fit sa Pomposité Blonde, mais qu'est-ce qu'il dit ?

– Il dit : « Mec, qu'est-ce que tu as à dire que des salades ? », répondit Irv.

Il parlait à mi-voix et ne leva pas les yeux des moniteurs, se vautrant un peu plus profondément dans son fauteuil, comme s'il rentrait dans sa coquille, pour indiquer que questions et commentaires n'étaient pas vraiment bienvenus.

Sur l'écran, le garçon poursuivait :

– T'as pas vu d'sayrpent. J'veux dire, puta d'enf, t'peux pas 'm'dire qu't'as vu d'sayrpents dehors en plein jour.

– Ah bah si, Jimmy, dit le maigre juste en face de lui. T'sais, quand a'l fait supayr soleil, vers midi ? A z'aiment sortir sur l'bande da béton près du dépôt d'carbu' – là ouk c'est chaud ? – et ouka s'étalent ? J'en a vu un paputard qu'hier, a gros à sonnette. C'tenfoiré l'était 'ssi gras qua tuye' d'gazoil.

La grande blonde laissa échapper un soupir féroce.

– Mais qu'est-ce-que-ces-types-racontent ? Il va falloir mettre des sous-titres, Irv. Et voir si on ne peut pas faire quelque chose pour la lumière.

– Je ne veux pas utiliser de sous-titres, dit Irv dans un chuchotement qui espérait la contraindre au silence. Je ne veux pas donner l'impression que

12

ces casseurs d'homos sont des espèces d'extra-terrestres. Parce qu'ils ne le sont pas. Je veux démontrer qu'ils sont comme le fils du voisin. Qu'ils sont aussi américains qu'un 7-Eleven ou qu'un Pizza-Hut, et que ce sont des fanatiques, et que ce sont des meurtriers.

– Très bien, très bien, dit Sa Parfaite Rectitude, mais ces trois mômes – suppose que l'un d'eux balance tout pendant qu'on est assis là. Suppose que l'un d'eux dise : « Ouais, c'est moi qui l'ai tué » et que cela sonne : « Puta d'Dieu, aj'la butay, ct'e pède. » Comment est-ce que le spectateur va comprendre ? Je veux dire, ces mômes parlent en roumain rural. Je te dis qu'il faut des sous-titres.

– Ce n'est pas si difficile à comprendre, chuchota Irv qui devenait irritable. Je croyais que tu étais du Sud.

– Je suis du Sud, mais... (Elle s'arrêta. Ses yeux étaient rivés aux moniteurs.) Et en plus, la lumière est trop faible.

La voix d'Irv monta d'un cran. « Trop faible ? » Il agita les mains devant les écrans.

– Qu'est-ce que tu crois que c'est, Mary Cary ? Un jeu télé ? C'est un bouge, un saloon, un trou à bière, un bar topless à Fayetteville, Caroline du Nord ! Je veux dire, bon Dieu, c'est la vraie vie que tu regardes, en temps réel, et c'est... la lumière qu'il y a là-bas !

– D'accord, mais étant donné qu'on s'est déjà

embêté à câbler tout le bar – qui est le producteur exécutif sur place ?

– Ferretti.

– Eh bien, appelle-le. Je veux lui parler.

– Je ne vais pas l'appeler au beau milieu d'un enregistrement live, pendant qu'il dirige une opération secrète !

– Je ne vois pas quelle différence ça...

– Chut ! dit Irv en se vautrant encore plus et en se concentrant sur les moniteurs comme si les trois garçons allaient dire quelque chose d'intéressant. Mais ce n'était qu'un peu plus de blabla de saloon sur les serpents et Dieu sait quoi d'autre.

À vrai dire, Mary Cary avait raison. Il faudrait probablement utiliser un sous-titrage. Mais il n'avait pas envie de lui faire plaisir en lui donnant tout de suite raison. Il ne pouvait déjà pas supporter la manière dont elle disait *nous*, comme si elle s'était occupée de quoi que ce soit. Or, jusqu'à ce soir, jusqu'à ce qu'elle accepte finalement de passer deux heures à visionner l'enregistrement avec lui, elle n'avait participé à rien du tout. Mais, comme d'habitude, elle était prête à tirer la couverture à elle si le truc marchait. D'instinct, il sentait vraiment bien ce sujet. Ça *allait marcher*. Et s'il décrochait le jackpot ? Et si ces trois soldats se passaient la corde au cou sur cette bande vidéo ? Qui en tirerait gloire ? Tous les articles des journaux, les éditoriaux, les extraits, tous les discours des politiciens, toutes les lettres des téléspectateurs allaient parler de cette pétasse blonde vieillissante, assise dans son fauteuil avec sa posture royale, comme si elle menait réellement le show. Tout ce dont tout le monde parlerait, ce serait de Mary Cary Brokenborough.

La manière stupide et irritante dont elle énonçait son propre nom à l'antenne commença à lui trotter dans la tête. À l'antenne elle s'exprimait encore avec un reste d'accent sudiste. Elle prononçait son nom comme un poème en duomètres trochaïques. C'était ridicule, mais les gens adoraient :

Mérry
Kérry
Broken
Bérrouh

Il lui jeta un coup d'œil. La lumière des moniteurs jouait sur son large visage. De près, en chair et en os, elle n'était pas grand-chose ; plus pour lui en tout cas. Il y avait quelque chose de grossier dans cette allure qu'elle imaginait splendide. Elle avait quarante-deux ans et sa peau s'épaississait, et son nez s'épaississait, et ses lèvres s'épaississaient et ses cheveux viraient au gris, si bien qu'elle devait se rendre chez un capilliculteur sur Madison Avenue, qui venait aussi parfois chez elle, selon les occasions. Huit ans auparavant, quand elle avait signé avec la chaîne, elle était encore – il ferma un instant les yeux pour la visualiser telle qu'elle était alors ; mais au lieu de la voir, il sentit, pour la énième fois, l'humiliation... l'insouciance, l'amusement, avec lesquels elle avait repoussé tout effort de sa part pour... se rapprocher d'elle... « Mmmmhhhh ». Il grogna audiblement à ce souvenir. Irv Durtscher, le petit juif gras et chauve. Voilà ce qu'il était et voilà comment elle le considérait... depuis toujours... Eh bien, ses allures de fille du Sud se lézardaient vite... Encore cinq ans et... Pourtant, face à la caméra elle avait encore fière allure. Elle s'en tirait avec un non-lieu. À l'écran c'était encore une bombe blonde ; une bombe blonde caricaturée BD, mais une bombe blonde quand même. Et cinquante millions de gens zappaient chaque semaine sur Day & Night pour la voir.

Et qui diable connaissait le nom d'Irv Durtscher, nom de Dieu ?

Eh bien, c'était la nature même du business, et il l'avait toujours su. Les gens ne savaient même pas ce qu'était un producteur de télévision, et encore moins qui était Irv Durtscher. Personne ne savait que les producteurs étaient les artistes de la télévision, les créateurs, l'âme du business, si tant est qu'il eût une... Mary Cary, elle, le savait. Elle n'était pas stupide, mais elle souffrait de déni, au sens freudien du terme. Elle refusait d'admettre qu'elle n'était qu'une actrice, une bouche, une boîte à voix récitant le script du créateur de Day & Night, dont le nom était Irv Durtscher.

16

Ils visionnaient l'enregistrement depuis presque trois heures et pas un instant elle n'avait cessé de penser à elle-même, pas assez en tout cas pour se rendre compte qu'elle avait sous les yeux un superbe exemple de journalisme d'investigation. Pas la moindre bribe de reconnaissance pour l'ingéniosité de ce qu'il était parvenu à mettre en place ! Nom de Dieu, qu'est-ce que ça coûterait à son ego de dire : « Wow, c'est vraiment fabuleux, Irv ! », ou : « Bon boulot », ou : « Mais comment diable as-tu fait pour savoir qu'ils seraient dans ce bar et dans ce box en particulier ? », ou : « Comment t'es-tu débrouillé pour installer deux caméras cachées et câbler tout l'endroit ? »... ou n'importe quoi d'autre dans le genre...

Non, elle était assise là et se plaignait de la lumière. La *lumière* ! – alors que l'Armée et les autorités de Fayetteville avaient construit un mur de silence autour de cette atrocité, un mur en béton armé, et insisté sur le fait qu'il n'y avait aucune preuve de l'implication d'un quelconque membre du personnel de Fort Bragg ! Ces trois gamins, ces trois *rednecks* que Mary Cary et lui regardaient à cet instant précis – en temps réel, sur ces moniteurs –, avaient passé un autre soldat à tabac, un môme du nom de Randy Valentine, ils l'avaient tué, assassiné, dans les toilettes d'un bouge identique à celui où ils étaient assis en ce moment, pour la seule et unique raison qu'il était *gay*. Dans la base, tout le monde savait qui avait fait le coup, et il y avait des soldats qui, en se marrant, serraient la main du plus musclé des trois, celui qui avait commencé, Jimmy Lowe – et pourtant le général Huddlestone lui-même niait tout, et Day & Night avait, sur bande, son visage de Wasp gothique lithoïde, carré et plissé, niant tout – et Moi, Irv Durtscher, je vais gaiement enterrer le général avec ses trois commandos néanderthaliens... Moi, Irv Durtscher, je suis le véritable artiste de l'ère moderne, le producteur, le metteur en scène, celui qui peut d'un seul et même coup ramener une audience prodigieuse et satisfaire la gloutonnerie de bénéfices de la chaîne – tout en faisant avancer la cause de la justice sociale...

Le grand truc désormais, dans les magazines télé, c'était les opérations venimeuses et perverses, nécessitant des préparatifs inouïs, caméras cachées et micros planqués, pour incriminer des gens en enregistrant leurs affirmations sur bande vidéo, et le cas présent en était l'illustration parfaite. C'est Moi, Irv Durtscher, qui ai convaincu Cale Bigger, le directeur de l'info de la chaîne, d'engager l'énorme dépense pour cette opération secrète qui consistait à installer le matériel pour enregistrer en continu dans ce trou à rats, grâce à la fibre optique, ce bar topless appelé le DMZ, à Fayetteville, Caroline du Nord. Et pourquoi Cale Bigger avait-il dit oui ? Parce qu'il se préoccupait des droits des homosexuels ? Ouais, faites-moi rire. C'était seulement parce que Moi, Irv Durtscher, je suis l'artiste qui fait rentrer les millions, les dizaines de millions, quoi qu'il arrive – alors que personne ne connaît mon nom...

Il jeta un bref coup d'œil vers Mary Cary. Elle avait les yeux fixés sur les moniteurs. Pourquoi Irv ne pouvait-il pas apparaître au tout début du programme, comme Rod Sterling dans « Twilight Zone » ou Alfred Hitchcock dans « Alfred Hitchcock présente » ? Ouais, Hitchcock... Hitchcock aussi était petit, gros et chauve. Encore plus que lui. Il voyait bien le tableau... Le générique commençait... Le thème musical... et puis... Moi, Irv Durtscher... Mais il n'eut plus le cœur à ce doux rêve. Ils ne voudraient jamais. Et, par-dessus tout, il était trop... ethnique. On pouvait être juif et être une star des infos, présentateur vedette ou autre locomotive, tant qu'on n'avait pas l'air juif. Et un nom comme Irv Durtscher ne facilitait rien. Aucun petit Irv Durtscher chauve et grassouillet n'allait être la star, la personnalité marquante du grand magazine qu'était Day & Night.

Alors il y avait cette bouche, cette grosse Wasp blonde de Petersburg, Virginie, Mary Cary Brokenborough... *Mérry Kérry Brokenbérrouh...* Est-ce qu'elle se souciait des droits des homos ? Qui le savait, bon sang ? Est-ce qu'elle-même le savait ? En fait, elle était au moins assez maligne pour savoir qu'elle devait la jouer éclairée sur de tels sujets. Elle avait assez de jugeote pour suivre le script...

Un petit nuage se forma dans le cerveau d'Irv Durtscher. Pourquoi était-il si passionné lui-même par les droits des homosexuels ? Il n'était pas gay ; il n'avait même jamais eu d'expérience homosexuelle ; et la vérité était qu'il s'inquiétait pour ses deux garçons qui semblaient si passifs, si timorés, si sensibles... (efféminés ?)... Et s'ils viraient *gay* ?... Ce serait vraiment l'horreur, non ? Bien sûr il n'en parlerait pas avec eux. Leur orientation serait... leur orientation... Néanmoins, il se sentait sacrément coupable... Depuis qu'il avait divorcé d'avec Laurie, il ne voyait plus beaucoup les garçons. Alors, s'ils viraient *gay*, ce serait peut-être sa faute... Pourtant, cela n'avait rien à voir avec un engagement en faveur des droits des homosexuels, hein ? La justice sociale était la justice sociale et l'avait toujours été ; il l'avait appris sur les genoux de sa mère, en avait compris l'importance sur le visage angoissé de son père...

– ... c't'loid'pèdes...

Il se pencha en avant et se concentra sur les écrans, levant l'index pour indiquer à Mary Cary de faire de même. Le grand, l'élancé, celui juste en face de Jimmy Lowe, celui qui portait cet étrange nom de famille, Ziggefoos, venait d'employer l'expression *loid'pèdes* qui, dans leur patois, il le

20

savait désormais, signifiait « loi pour le droit des homosexuels ».

– ... a t'causent pas da ski z'ont fait pour ête comme ça. Ta vois qu'a n'aspèce d'enculay décavé total aqu'une barb d'quat jours et les joues comme çaaa (il creusa ses joues et roula ses yeux en arrière) qu'a l'air d'Jésus-Christ et qua cause qu'du Sida et que d'ces lois d'pèdes.

– Pine dans l'mille, dit Jimmy Lowe.

– J'va 'dire, meeerde, dit Ziggefoos, a causent comme ça, pasqu'y z'en ont ral'trou qua tout'l'm'onde a les traite da fiottes ou d'pède. Ça rien qua z'ont *fait*, bien sûûûr !

– Pine dans l'mille, ben jactaaay, dit Jimmy Lowe.

Le troisième se mit à parler, le petit, le nerveux, celui aux cheveux noirs, le nabot du trio, celui qui s'appelait Flory.

– T'rappelles l'ptit Françay qu'était v'nu à l'entraîn'ment l'mois passé aque les mecs d'l'ONU ? Oliviay ? J't'ai j'mais dit comment qu'a lez applay ? Jactait d'une fiotte kalkonk et a disait : À l'est pas d'not' parouasse.

– À l'est pad not parouasse ? dit Jimmy Lowe. Et kask'sa veut dire ?

– 'veut dire – là-bas en France, toul'monde il est cath'lic ? Toul'monde il est dans une parouasse précise ou une aut' ? Tupij ? Alors, lui et moay, l'aut'fois, on voit Holcombe qua preunait a bain d'soleil près dl'a caserne d'pompiers aque sa ch'mise toute daboutonnée, et Oliviay, a connaît mêm' pas l'enculay, mais a jacte aussissec, et am'dit, a dit : « A l'est pad'not parouasse. »

Holcombe ! Le système nerveux central d'Irv se mit en alerte rouge. Il se pencha encore un peu plus en avant et tendit les deux mains vers le moniteur comme s'il était Atlas prêt à saisir le monde. Holcombe était l'un des plus proches amis de Randy Valentine à Fort Bragg. Même Mary Cary semblait comprendre que les trois garçons entraient désormais dans un champ de mines. Elle se pencha également en avant, abandonnant son impeccable position assise.

Sur les deux écrans, le grand, Ziggefoos, n'avait pas l'intention de se laisser détourner par Flory et son « pad'not'parouasse ». Il avala une gorgée de bière et dit :

– Et tous leurs shows d'la télay, et toute st'a meeerde sur l'style d'vie des zomos ? L'pire qu'a vont' t'montrer c't'un couple d'lesbiennes qua dansent, ouatrucdanl'genr'. T'adja vu deux fiottes qua dansent ensemb' à la télay ou qua s'roul a patin ? Couille que nan. À vont pas at'montrer c'ta meeerde.

– Pine dans l'mille, bien jactaaay, Ziggy.

– Un'fois, mon vioque nous z'avait loué une chamb'd'hôtel près d'la jetée à Myrtle Beach, dit Ziggefoos, et pil'en face, y'avait c'te pension, ouatrucdan'l'genr', et su'l'coup d'cinq plombes du mat' – quant'a'l'jour s'lève à peine – moi et mon frangin, on entend kék'un qua grogne et qua crie su'l'toit d'la pension et on jette un œil par la f'nêtre, et ya ces deux mecs su'l'toit, souzune d'ces espèces d'vieilles zantaynnes de télay qui z'avaient dans l'temps – nus com'deux gogos, et y'en a un qu'encul'l'aut'à mort. Moi et mon frangin, on savait mame pas ski f'zaient. Alors on raveille l'vioque, et y'r'garde par la f'nêtre et y dit : « Jésus, bondieud'bondieu, les gars, c'est des tantouzes. » Apray, y'a les deux qu'ont fini, et y passent par la p'tite trappe qui z'avaient dans'l'toit, et deux s'condes plus tard, y'en a deuz'aut' qua s'pointent, à poil comm' les deuz'aut', et y s'allongent su'l'toit, et y'en a un qua passe d'la crèèème sur l'cul d'laut'. Et l'vioque, y bout, j'veux dire l'est vert d'rage tellement qu'l'est furax, et y hurle : « Hey, vous les tantouzes ! j'va comptay jusqu'à dix, et si vous zaytes pas barrés d'ç'toit, va falloir qua vous pousse da zailes, paskya une volée d'douze qua va vous pétay au cul ! » Abah, j'aurais bah aimé avoir une cam'ra et du film, à voir comment qu'les deux pèdes zont couru su'l toit et sauté dans la trappe. Apray, on a su qu'la pension l'était pleine d'ces enculays. Y'd'vaient les accrocher à des cintres, tel'ment qu'y en avait, et sûr qui grimpaient sur ç'toit tout'les nuits pour s'frotter les miches sous l'antaynne. Et voilà d'quoi j'parle quand j'dis qua parlent qu'des loid'pèdes et d'la marge laygale ent' les homosayckschuels et touta c'ta meeerde.

Jimmy Lowe acquiesça, parfaitement d'accord avec tout ça. Puis il se pencha vers Ziggefoos et jeta un coup d'œil rapide des deux côtés pour s'assurer que personne ne les regardait et il dit :

– T'a mis l'doigt d'ssus, mon vvvieuuux.

Irv retenait son souffle. C'était magnifique. Le gamin s'était penché sur la table pour parler à voix basse, et en faisant cela sa bouche s'était trouvée à moins de dix centimètres du micro caché dans la petite lampe. À cette distance, le micro aurait enregistré un murmure.

– Tout 'l'monde a vu c'que j'ai vu la'd'dans. (Il s'arrêta net, comme si une prudence soudaine l'empêchait de préciser l'endroit.) Tout'l'monde aurait fay aske j'ai fay, ou au moins y z'auraient voulu. Dèk'j'suis entré là'd'dans et qu'j'ai maté sous c'te porte d'chiottes et qu'j'ai vu les g'noux de c'mec su'l plancher, et qu'j'ai entendu ces deux mecs qui f'zaient « Nnnnnnnh, nnnnnnnnh, nnnnnnnnh ».

Même au beau milieu de tout ça, au beau milieu de ces phrases qu'il guettait, qu'il attendait depuis deux semaines et demie, Irv percevait la pulsation merdique de la musique de country métal en arrière-plan des aveux, du chuchotement sifflant du gamin – et – quelle perfection ! – c'était l'arrière-plan audio idéal ! Personne, même avec tout le temps, l'argent et l'imagination du monde, personne n'aurait pu rêver meilleur *background* !

– J'veux dir', j'savais exact'ment aske c'était. Et quand j'ai marché jusk'aux chiottes sur la pointe des pieds et qu'j'ai r'gardé par-d'ssus la porte et qu'jai vu qu'c'était un mec d'ma bordayl d'compagnie à g'noux, puta d'merde, en train d'tailler une queue à un aut' par un trou dans la cloison, j'veudir' j'ai vu une aspèce d'fente, et là j'ai défoncé la puta d'porte. Pété al'ptit verrou, d'un coup de pied.

Ziggefoos se pencha aussi vers le micro planqué, et esquissa le début d'un sourire.

– Y'a kék'un qua dû s'dm'ander ski l'a cogné, bordayl.

– C'te bon Dieu d'porte l'a cogné, j'm'rappelle. C'tenculay, l'était dj'à d'bout quand j'lai chopé.

Et maintenant le petit Flory venait de se pencher également en avant.

– A t'as jamais vu l'aut'mec ? demanda-t-il.

– Jamais l'aut'mec, puta d'merde, dit Jimmy Lowe. J'pense qu's'est tiré comme un pet, paske quand v'z'êtes tous entray, v'zavez vu personne sortir sa pine.

– Vray, dit Flory.

Puis les trois garçons, toujours penchés au-dessus de la table, se regardèrent tous d'un air réfléchi et solennel, comme pour dire : « Nous ferions peut-être bien de ne plus en parler. »

Une impulsion balaya le système nerveux central d'Irv et l'arborescence de son cerveau avec la violence d'une alarme, et la signification de ce qu'il venait d'entendre le submergea avant même qu'il ait pu l'analyser.

Ils venaient de se pendre eux-mêmes.

Il regarda Mary Cary. Elle le fixait déjà. La même idée se faisait jour en elle. Ses yeux trop maquillés étaient grands ouverts, ses lèvres trop épaisses étaient entrebâillées, et un sourire mi-interrogatif, mi-étonné commençait à se dessiner sur son grand et large visage.

Ça y est, hein ? Ils viennent de se pendre eux-mêmes ?

Oh, ça, pour sûr ! Ils venaient de confesser leur véritable mobile : l'homophobie. Ils venaient d'établir que le meurtre avait commencé par une agression délibérée et gratuite. Et ils avaient révélé qu'il existait un témoin non encore identifié du début de l'agression.

L'esprit d'Irv tournait à toute vitesse. Une victoire pour la justice – oh oui ! Mais ce serait bien plus que cela.

Longtemps après le départ des trois jeunes rednecks et la fin de l'enregistrement live au DMZ, Irv resta dans la cabine et insista pour que Mary Cary visionne à nouveau la bande avec lui, encore et encore. Il était sur un petit nuage. Il appela Ferretti, à Fayetteville, et il passa tout en revue avec lui, les mêmes choses, comme un héros exultant après une bataille.

Ce qu'il y avait de bien, c'est que Mary Cary avait l'air presque aussi euphorique que lui. Peut-être entrevoyait-elle déjà combien elle allait être magnifique ? Peut-être se voyait-elle déjà comme l'héroïne qui avait résolu l'affaire du meurtre anti-gay de Fort Bragg, ce qui n'était pas inconcevable. Mais, pour l'instant, il s'en foutait éperdument. Pour l'instant, ce visage était le seul dans lequel il pouvait lire l'ampleur de son triomphe.

– Un des beaux moments, disait-elle, c'est quand celui qui est tout en angles – Ziggy, c'est ça ? – quand il se réveille, et il n'est encore qu'un gamin je crois, et il voit les deux homos sur le toit, et il réveille son père et son père dit : « Les gars c'est des tantouzes », et il les menace d'une volée d'douze. D'ailleurs, *kaske* tu crois que c'est *une volée d'douze* ?

– De la chevrotine, dit Irv. Après avoir écouté ce genre de personnages pendant deux ou trois nuits, il arrive quelque chose de très grave à ton cerveau et tu commences enfin à comprendre ce qu'ils disent.

Il se sentait si bien qu'il n'avait plus la moindre envie d'exprimer sa rancœur face à l'absence de Mary Cary lors des deux semaines et demie de surveillance.

– *Ski*, c'est « *ce* qu'*il* », *télay,* c'est « *télé* » et *loid'pèdes*, c'est « *droits des homosexuels* » – j'veux dire, je suis resté assis ici pendant deux semaines et demie. Je pourrais t'écrire une introduction lexicologique sur l'illettrisme dans le « manche de poêle » qu'est la Floride.

– Eh bien, Dieu merci, toi au moins tu sais ce qu'ils racontent ! dit Mary Cary. (Irv aimait ça.) Mais je veux dire, poursuivit-elle, je pense que tout ce truc du père qui dit que c'est des tantouzes et qu'il va buter les tantouzes – je crois que c'est un moment très important que nous avons là, parce que cela montre comment l'homophobie passe de père en fils, d'une génération à la suivante. Je veux dire, c'est une ligne droite qui va de la scène dans un hôtel dix ou quinze ans auparavant à la scène dans les toilettes où Valentine se fait tuer. Un lien absolument rectiligne. C.Q.F.D. Tout est là.

Irv réfléchit un instant.

– Tu as raison, tu as raison. Cela enfonce définitivement le clou. Mais je ne suis pas certain qu'on puisse utiliser cette scène sur le toit, qu'on puisse même s'en servir.

– Pourquoi pas ?

– Eh bien, je veux dire... c'est si *grossier*. Je ne sais pas combien on peut en passer à l'antenne dans un magazine national en prime-time. Mais il y a autre chose. Cela présente les relations anales sous un jour si *vulgaire*. Je veux dire, toute cette histoire du type qui *lubrifie* – le fait est que tu pourrais également décrire de manière dégueulasse une relation hétérosexuelle ordinaire. Tu pourrais parler de plis moites, de nœuds glissants, de pines raides et de castors bouche ouverte – merde, tu pourrais même faire de Roméo et Juliette des chiens dans un parc, si tu voulais être vraiment précis sur la chose. Et franchement, on a le même problème avec la scène dans les toilettes.

– Qu'est-ce que tu veux dire ?

– Je veux dire que je ne tiens pas à être celui qui diffusera chez cinquante millions de gens l'affirmation homophobe que Randy Valentine était en train de pratiquer une fellation dans des toilettes pour hommes. Et tout ce truc sur le trou dans la cloison – pfffft... C'est carrément hors sujet.

– Hors sujet ?

– Je ne vois pas le rapport avec le fait qu'un homme en a tué un autre pour une mauvaise raison.

– Cela n'a peut-être pas de rapport, dit Mary Cary, mais je ne vois pas comment on peut toucher à cette bande. C'est probablement une preuve. Cela pourrait devenir une pièce à conviction devant un tribunal.

– Cela pourra toujours servir de pièce à conviction. Mais pour Day & Night, on la monte.

– Comment ça, Irv ? C'est le moment le plus crucial de tout l'enregistrement !

– D'où l'avantage d'avoir deux caméras, dit Irv.

Il n'avait pas besoin de lui expliquer. Si on n'a

qu'une caméra, et qu'elle cadre quelqu'un qui parle, si on essaie de couper quelque chose, on obtient un bip, une saute. Peu importe le soin avec lequel on le fait, parce que la personne va bouger, même si c'est d'un millimètre, entre le moment où on coupe et celui où on remonte la bande. Avec deux caméras, on peut passer d'un angle à l'autre en coupant, et le spectateur ne saura jamais que quelque chose a été coupé. Dans des magazines comme Day & Night, c'était une pratique courante quand on voulait éliminer quelque chose de bancal ou d'inconvenant.

– Eh bien, je suppose qu'on peut le faire, techniquement, dit Mary Cary, mais on risque de s'attirer un tas d'ennuis.

Irv sourit imperceptiblement. À la vérité, il ne pensait plus à ce problème. Elle avait dit autre chose. Une phrase qu'elle avait utilisée un moment plus tôt – la pièce à conviction devant le tribunal – venait juste de faire son trou. L'idée même lui donna une bouffée de chaleur, il en rosit presque. Si cette bande devenait la pièce maîtresse d'une affaire criminelle à scandale, alors tout ressortirait... toute l'histoire, l'histoire de Moi, Irv Durtscher, qui ai dévoilé l'affaire... de comment Moi, Irv Durtscher, et non pas ce célèbre visage sur l'écran, j'ai en réalité créé Day & Night et l'ai mené à bien, et comment j'en suis l'âme et le corps... Comment Moi, Irv Durtscher, je suis le

30

Sergueï Eisenstein, le Federico Fellini de cette nouvelle forme d'art, de cette nouvelle arme morale, le journalisme de télévision... comment Moi, Irv Durtscher...

Lui, Irv Durtscher, laissa ses yeux parcourir le studio autour de lui, les écrans désormais gris des deux moniteurs, puis les écrans du mur de la régie, juste au-delà de la cabine. Telles étaient les palettes de cet art nouveau, les moniteurs des salles de contrôle, voilà où les producteurs pratiquaient leur magie. Et peut-être cela arriverait-il... Day & Night deviendrait « Irv Durtscher présente »... Les titres, le thème musical, puis le célèbre visage et la célèbre silhouette de...

La culpabilité le poignarda soudain... Moi, Irv Durtscher ? Il se laissait emporter par l'ambition personnelle... Pas question. Il se ressaisit. Il ne faisait pas cela pour Irv Durtscher, ou du moins pas seulement pour Irv Durtscher. Il le faisait pour un rêve que lui avaient transmis son père et sa mère, de petites gens, mais fièrement idéalistes, qui avaient survécu grâce à une petite boutique de miroiterie dans Brooklyn, qui avaient tout sacrifié pour l'envoyer à Cornell, qui n'avaient jamais eu les moyens ni l'opportunité de réaliser leur rêve de justice sociale. Cette pièce, le martyre de Randy Valentine, pauvre soldat homosexuel innocent de Fort Bragg, Caroline du Nord, faisait partie de la bataille finale, de la bataille pour mettre un terme à l'ordre féodal secret de l'Amérique et à ses formes subtiles et pernicieuses de servitude. L'heure était venue. Les jours des Cale Bigger, des généraux Huddlestone et des exécutants de basses besognes, les Jimmy Lowe, les Ziggy Ziggefoos et les Flory, les jours des Wasps, avec leurs visions étriquées de la « famille » et de « l'ordre naturel » – ces jours touchaient à leur fin, et celle-ci viendrait vite. Un monde nouveau allait poindre, un monde dans lequel aucun authentique génie du futur n'aurait besoin de s'abriter derrière un masque de « blanchitude » ou d'hétérosexualité, ou de noms « Waspiens »... comme *Mérry Kérry Brokenbér-rouh*.

Il la regarda droit dans les yeux. Elle lui rendit son regard avec un petit... un petit je-ne-sais-quoi, un je-ne-sais-quoi qu'il n'avait jamais vu auparavant. C'était comme si tout ce que la situation impliquait lui était soudain apparu et qu'elle l'avait vu, lui, Irv Durtscher, sous un jour complètement nouveau. Leurs regards se croisèrent dans ce qui semblait être une bienheureuse éternité. Curieusement, il savait que maintenant, s'il osait – eh bien, pourquoi n'osait-il pas ? Elle était... elle venait de se marier pour la troisième fois, mais c'était risible... Le type, Hugh Siebert, un chirurgien des yeux, était solennel, pompeux, prétentieux. Un type coincé, un zéro pointé... ça ne durerait pas. Pourquoi ne se penchait-il pas pour prendre sa main dans la sienne, et advienne que pourra... Cela allait-il arriver ?... Irv et Mary Cary... Il n'y avait personne dans les parages... Il augmenta le voltage, la fixa droit dans les yeux avec l'allure d'un guerrier victorieux. Un sourire confiant, masculin et pourtant chaud et engageant, séduisant même, s'étala sur son visage.

Puis il se lança.

Il se pencha, prit sa main, et laissa le courant s'écouler de lui vers elle, il le laissa monter du tréfonds de son être, tout en déversant son regard victorieux dans le sien.

Pendant un instant, Mary Cary ne réagit pas ; elle se contenta de froncer les sourcils d'un air dubitatif. Puis elle pencha la tête et regarda sa main dans la sienne. Elle regarda la main d'Irv comme si un de ces petits lézards forestiers de Caroline avait réussi, Dieu sait comment, à faire son chemin jusqu'au vingtième étage d'un immeuble new-yorkais pour enrouler son petit corps visqueux autour de sa main à elle. Elle ne daigna même pas retirer sa main. Elle se contenta de relever la tête, et de jeter à Irv un seul regard en biais qui voulait dire : « Non mais, qu'est-ce qui te prend ? »

Pop. La bulle éclata. Le moment magique se dégonfla. Penaud, oh, si penaud, il retira sa main. Depuis huit ans qu'il connaissait cette femme qui le mettait tant en fureur, jamais il ne s'était senti si repoussé et humilié.

Cela fit déborder le vase. Elle le paierait. À partir de maintenant, elle serait dans le collimateur. Si elle pensait vraiment que sa célèbre présence était le cœur et l'âme de Day & Night...

Puis son humeur sombra à nouveau. La vérité, c'était qu'il avait plus que jamais besoin d'elle, maintenant. Cette histoire, l'histoire de Randy Valentine, ne faisait que commencer. Si on respectait le format habituel du magazine, quelqu'un devait exécuter l'*embuscade*. C'était le terme qu'ils employaient : l'embuscade. Quelqu'un devait confronter les trois assassins à la caméra. Quelqu'un devait les trouver, les surprendre dans la base, dans la rue, n'importe où, et sous leur nez brandir la preuve qui les incriminait, et rester là et capter ce qu'ils disaient – ou faisaient – pendant que les caméras tournaient. Dans son cœur qui sombrait, lui, Irv Durtscher, savait qu'il ne serait jamais capable de tendre une embuscade, comme ça, même si la chaîne venait le supplier, alors que Mary Cary le ferait sans battre un cil. Cela ne l'inquiéterait ni avant, ni pendant, ni après. Elle prendrait en embuscade n'importe qui, n'importe où, n'importe quand, comme ça, tout simplement, avec de l'estomac et sans un instant de peur ni de regret.

Il détourna les yeux et contempla derrière la vitre de la cabine les grandes rangées de moniteurs de la régie, qui brillaient et s'agitaient d'images venues du monde entier. Les nouvelles palettes... une nouvelle forme d'art... un jour nouveau... Toutes ces notions commençaient à se cailler dans son esprit.

Il la regarda à nouveau. Elle le fixait toujours, mais avec un air ennuyé à présent. Ou bien était-elle seulement fatiguée ?

– Eh bien, je crois que c'est tout ce qu'on peut faire pour ce soir, dit-il.

Sa voix sonnait comme s'il venait de perdre son meilleur ami. Et il en était conscient.

Moi, Irv Durtscher... saloperie de bonne femme !... Pourquoi est-ce que tout, même les plus grands desseins, se réduisait, en fin de compte, quand tout était fait et dit, au sexe ?

DEUXIÈME PARTIE

De l'importance
de Lola Thong

Ferretti, le producteur exécutif sur le terrain à Fort Bragg, avait passé des semaines à Fayetteville, et chaque fois qu'il appelait Irv à New York, il avait une nouvelle histoire à raconter sur Bragg Boulevard. Et pourtant Irv, à New York, avait passé d'innombrables heures à visionner les prises faites dans le DMZ, qui était le type même de la boîte topless de Bragg Boulevard. Que pouvait-il donc y avoir de si surprenant à propos de Bragg Boulevard ? Irv avait eu à l'esprit une image de cette avenue cauchemardesque, clinquante, infernale, bien avant d'y débarquer.

Mais d'être réellement sur Bragg Boulevard, comme il l'était ce soir, voilà qui avait sérieusement perturbé Irv Durtscher. Profondément. Cela l'avait tellement secoué qu'il voulait absolument en parler à quelqu'un. Immédiatement. Or ce n'était pas possible. Les jeux étaient faits, et bientôt, très bientôt, dans quelques minutes peut-être, l'embuscade commencerait. Et lui, Irv Durtscher, le Costa-

Gavras du télé-journalisme, le Goya de la palette électronique, était supposé être le commandant en chef de cette opération.

Il laissa à nouveau ses yeux errer sur tous ceux qui se trouvaient avec lui dans le VR – le véhicule de repos, un terme qu'il ne connaissait pas la veille, lui qui avait passé toute sa vie à New York, quand Ferretti lui avait montré le monstre. Ils étaient entassés dans le compartiment arrière du VR... Ferretti... Mary Cary... la grosse maquilleuse de Mary Cary... les deux techniciens balèzes, Gordon et Roy... et Miss Lola Thong, la danseuse topless américano-thaïlandaise que Ferretti avait recrutée... Trop de corps dans un espace trop étroit... Trop de matériel... Entièrement éclairé par la lueur bleu-radiologie d'une rangée de moniteurs... si bien que la célèbre masse de cheveux blonds de Mary Cary tirait un peu sur l'aigue-marine... Irv passa en revue sa petite armée. Il cherchait un soutien émotionnel et se demandait s'ils pensaient que leur commandant respirait la victoire.

Vu du dehors, n'importe qui passant sur Bragg Boulevard ou entrant dans le parking du DMZ aurait pris le VR pour un mobile-home Mojave High De Luxe d'un beige ordinaire, une grosse boîte sur roues. Personne n'y aurait regardé à deux fois (Ferretti le lui avait assuré) parce que Fort Bragg était une énorme base avec plus de 136 700 soldats, personnels d'entretien et familles, une population hautement éphémère qui vivait pour plus de commodité dans des mobile-homes. Mais si quelqu'un avait pu regarder à l'intérieur du camion, il se serait posé des questions. Ferretti avait fait installer une cloison séparant le tiers arrière du VR, avec une porte dérobée ; et les techniciens, Gordon et Roy, avaient changé cette section arrière secrète en une bolonaise de fils, de câbles, d'écrans, d'écouteurs et de matériel d'enregistrement qui rappelait à Irv, avec une certaine morbidité, *Bone Zone*, le célèbre film antiterroriste.

Ils étaient garés pile derrière le DMZ, qui, vu de là, n'était qu'un bloc de béton de couleur gris cendre, d'un seul étage, avec un toit plat croulant sous les compresseurs à air conditionné et les tuyaux rouillés. Les trois rednecks, Jimmy Lowe, Flory et Ziggefoos, étaient pour l'instant dans le bar topless, buvant comme d'habitude et causant en roumain rural, comme disait Mary Cary. Elle les observait sur les deux moniteurs qui retransmettaient en direct ce que captaient les deux caméras cachées dans le DMZ, et suivait leur conversation avec un casque qui comprimait ses cheveux de bombe blonde avec un effet désastreux. De temps à autre elle ôtait le casque, et la grosse, sa maquilleuse, lui regonflait les cheveux et remettait un peu de poudre sur son front. Irv se demandait si cela signifiait qu'elle transpirait. Mis à part cela, Mary Cary ne montrait absolument aucun signe de nervosité. Elle ne semblait pas avoir le moindre nerf. Et ses vêtements ! Une blouse en soie couleur crème, une jupe courte blanc cassé, une veste en cachemire bleu de chez Tiffany et des escarpins à talons mi-hauts blanc ivoire. Pour une embuscade ! La blouse était déboutonnée jusqu'au sternum. C'était presque aussi provocant que la petite robe que portait la danseuse topless, Lola Thong, si échancrée que c'en était ridicule. De son côté, Irv portait la tenue régulière pour une embuscade : des jeans, des tennis et un imperméable Burberry. (Le Daumier de l'Ère Digitale ne se rendait pas compte que, petit, chauve, gras, la quarantaine avec un crâne plissé, un double menton et un air tordu, si jamais il se promenait dans Fort Bragg avec son Burberry, on le prendrait pour un violeur d'enfants.)

Irv ne voulait même plus regarder les moniteurs. La vision des trois jeunes rednecks dans le box, à moins de vingt mètres de l'endroit où il se trouvait, ne faisait que comprimer davantage ses nerfs déjà en pelote, mais ses yeux ne cessaient pourtant de revenir vers les écrans. Les trois gars portaient des tee-shirts, et même sur les deux petits moniteurs on pouvait voir leurs bras musclés, leurs nuques et leurs mâchoires fermes, et, par-dessus tout, leurs oreilles saillantes. Celles-ci semblaient jaillir de leurs têtes parce que les côtés de leurs crânes étaient rasés, quant à la manière dont leurs cheveux étaient rasés...

42

Mary Cary ôta à nouveau ses écouteurs. Irv se rapprocha d'elle et lui demanda, à mi-voix :

– Alors, de quoi est-ce que nos trois *skins* causent maintenant ?

Jovial, détendu, et pas nerveux, voilà l'allure qu'il espérait afficher.

– Nos trois quoi ?

– Nos trois skinheads, dit Irv. Cet endroit – j'ai trouvé ce que c'est. (Il fit un geste comme pour englober tout Bragg Boulevard, Fayetteville, Fort Bragg, les comtés de Cumberland et de Hoke, l'État de Caroline du Nord, le Sud entier.) Tu veux savoir où on est ? Skinheadland !

– *Keska dit sur les sk'n'hèèds* ? (C'était la strip-teaseuse, Lola Thong, qui s'adressait à Mary Cary.) *C'des sk'n'hèèds* ?

Mary Cary lança à Irv un regard lourd de reproches, comme pour dire : toi et tes nerfs et ta grande gueule.

Lola, dont le père était américain et la mère thaïe, était une créature élancée avec des cheveux noirs et une peau pâle qui prenait une teinte bleu laiteux à la lueur des moniteurs. Elle avait un air asiatique exotique dans les yeux et les pommettes, et la trace d'un accent thaï qui déformait le « ai » de skinheads en un long « è ». Mais sa diction et sa grammaire, comme ses implants mammaires king-size, étaient strictement bas de gamme. Pour le moment, elle était très agitée, pivotant sur ses hauts talons, si bien que sa prodigieuse masse de cheveux noirs bondissait en tous sens.

– N'avait pas parlé de skinhèèèds, fit-elle avec un mouvement du menton vers Ferretti qui se tenait à deux pas de là, les yeux braqués sur les moniteurs.

Mary Cary lui répondit :

– Ce ne sont pas des skinheads, Lola. Je te le promets. Ils sont dans l'Armée américaine. C'est comme ça qu'on leur coupe les cheveux. Tu sais bien.

– Alors pourquoi lui l'a parlé d'sk'n'hèèèds ?

Pour Lola, Irv n'était pas le commandant en chef. Il était à peine *lui*.

Mary Cary soupira et lança un autre regard à Irv.

– Il voulait juste plaisanter. Sur leurs cheveux courts.

– C'est vrai, dit Irv dans un murmure, de peur que Lola ne se mette à faire plus de boucan. C'était une image – c'était juste pour parler de leurs cheveux. Ce ne sont que des gamins. C'est des G.I. J'essayais seulement d'être drôle.

Lola n'avait pas vraiment l'air rassuré.

Être drôle, Irv Durtscher ne s'y était pas essayé depuis qu'il avait posé pour la première fois les yeux sur Bragg Boulevard à son arrivée de New York, trente heures auparavant. Le boulevard, qui par endroits s'étalait sur six files, traversait l'extrémité est de Fort Bragg. En plein dedans. On pouvait voir les baraquements. On n'était pas séparé de la base par un mur ou une grille ou quoi que ce soit. Les soldats pouvaient avoir une voiture dans la base. Et ils en avaient ! Ils dépensaient tout ce qu'ils avaient en bagnoles. On pouvait les voir déambuler le long de Bragg Boulevard, à trois, quatre ou cinq par voiture. On savait que c'étaient des soldats parce qu'on pouvait voir leurs crânes tondus, avec juste une petite mésa de cheveux sur le dessus, et leurs oreilles qui dépassaient. Beaucoup étaient noirs, mais il y avait plus de Blancs, et c'étaient les Blancs qui faisaient peur à Irv. Les skinheads étaient blancs.

Entre la base et Fayetteville, Bragg Boulevard était la bande de bitume la plus commercialement répugnante qu'Irv avait jamais vue. Pas un arbre, pas un brin d'herbe, pas un trait d'architecture pour racheter l'architecture – juste un corridor infernal de bicoques d'un étage en béton couleur cendre, de cabanes en planches, sur une débauche d'asphalte, de parkings au gazon jauni, de pancartes aveuglantes et d'enseignes fluo clignotantes vantant les mérites de prêteurs sur gages, de mobile-homes, de parcs à caravanes, de salons de massage (Filles Totalement Nues, Séances de Thérapie À l'Intérieur), de magasins porno, d'officines d'encaissement de chèques (Kwik Kash), de pressings (Spécialiste de l'Uniforme), de lave-bagnoles, de cinémas multiplex, de gargotes et de stands (Sandwiches, Barbecue Caroline), de marchands de voitures, de marchands de motos, de boutiques de pièces détachées, de spécialistes du confort automobile, de stations-service, de fast-foods franchisés, de restaurants coréens, thaïlandais et vietnamiens, de boutiques d'alcool discount, de marchands de cigarettes discount, de magasins de bricolage (Wal-Mart, Sam's Club, outils Black & Decker, baignoires à oiseaux en béton et nains de jardin), d'armureries, de marchands de chiens d'attaque (C. Q. Ri. T. K. Nine) et de bars topless, de bars topless, de bars topless, alignés les uns à la suite des autres, comme celui-ci justement, le DMZ.

La nuit précédente, sous les yeux d'Irv, dès que le soleil avait disparu, l'épouvantable thermomètre de la satisfaction instantanée en cette fin de xxe siècle s'était mis en marche. Dix mille panneaux lumineux éclairés de l'intérieur et autant de rangées de spots s'étaient allumés en même temps dans tous les tons de pastel perceptibles par l'œil humain, couleurs micro-ondes hautement toxiques et radioactives, au point qu'un coup d'œil sur Bragg Boulevard donnait l'impression de regarder dans l'œsophage hurlant de l'Enfer lui-même. Irv savait que c'était l'Enfer à cause de ce qu'il avait vu en fin d'après-midi. Ferretti l'avait emmené – juste lui, pas Mary Cary, parce que son visage était bien trop connu – dans un shopping center non loin de Bragg Boulevard appelé le Cross Creek Mall. L'endroit était bondé, et avec une clientèle qu'Irv n'aurait jamais pu imaginer. Par centaines, par milliers, ils se pressaient : de jeunes mâles aux crânes rasés, de jeunes mâles aux oreilles dégagées, de jeunes mâles avec leurs jeunes femelles, de jeunes femelles avec leurs jeunes enfants et leurs enfants à venir. Pour Irv, ils avaient tous l'air... resplendissant... Les mâles étaient tous jeunes, forts, bronzés, gonflés de muscles et moulés dans leurs jeans. Et toutes ces aines gonflées ! Cela le faisait penser à ces vieilles gravures exagérées, tant c'était saillant. Fort Bragg était le camp d'entraînement des unités d'élite, les Forces spéciales : Bérets verts, Rangers, unités de contre-guérilla et de guerre psychologique, commandos en tous genres. De la testostérone sur pied ! Tant de soldats de Fort Bragg avaient combattu au Viêt-nam qu'ils appelaient Fayetteville « Fayettenam ». Aujourd'hui encore, nombre de ces jeunes soldats étaient mariés à des Asiatiques, comme chacun pouvait le voir dans Cross Creek Mall. Et leurs femmes, asiatiques aussi bien qu'américaines, étaient également resplendissantes. Elles irradiaient la gloire et la grandeur d'être enceintes de la prochaine génération de crâneurs... de skins... car c'étaient des skinheads ! Pour Irv, c'était venu comme une révélation, un flash de certitude intérieure, là, dans Cross Creek Mall. Des skinheads ! Sexe et agression ! L'enfer sur terre !

Ces jeunes mâles gavés de testostérone n'étaient que la version officielle, approuvée par le gouvernement, des skinheads allemands ou des milices extrémistes du Montana ! Et, la nuit venue, ils se déversaient dans Bragg Boulevard, cette allée de cauchemar, sans entraves, libres de toute discipline militaire, franchissant les portes de cet Enfer où Irv attendait maintenant, dans un mobile-home High Mojave De Luxe, son rendez-vous avec – avec...

Qu'est-ce qu'un brave petit juif new-yorkais comme lui faisait là, prêt à tendre une embuscade – une *embuscade* ! – à trois individus de cette espèce virulente et aux hormones affolées qui avaient déjà assassiné un homme et seraient assez bourrés pour... pour faire Dieu sait quoi ? Irv Durtscher, le Zola de l'Audimat, était terrifié.

Lola se rapprocha de Ferretti, qui lui passa un bras autour des épaules. Même sous cette faible lumière et dans cet espace encombré, sa sexualité éclatait sous sa petite robe noire. Elle toucha le bras de Ferreti et lui chuchota quelque chose. Puis tous deux regardèrent Irv, qui haussa les épaules et arqua ses sourcils comme pour dire : « Mais que voulez-vous que je vous dise ? »

Ferretti serra hardiment Lola et la retourna, le dos vers Irv et Mary Cary. Irv enviait Ferretti. C'était une sorte de King Kong jovial avec une barbe grisonnante qu'il laissait pousser sous son menton et le long de sa mâchoire, cachant ses bajoues. Il portait un polo qui parvenait à peine à couvrir sa taille de taureau, un blouson Charlotte Hornets Starter et une casquette vantant une marque de motoculteurs. Son visage s'éclairait quand il souriait. Il était simple et plein de bon sens. Il était idéal sur le terrain parce qu'il pouvait côtoyer n'importe qui, en haut ou en bas de l'échelle. Il pencha sa tête vers celle de Lola. Il ronronnait.

— Pour l'amour du Ciel, Irv, dit-il dans un grand sourire, qu'est-ce que c'est que ces histoires de skins ? Ces mecs sont des jobards, c'est tout.

Il serra à nouveau Lola et dit : « Des jobards, ma poule, des cinoques ! » Il la serra si fort et lui sourit tellement qu'il parvint à lui arracher un sourire récalcitrant. « Et en plus, t'as pas à dealer avec eux. C'est Mary Cary qui s'en occuppe, Irv s'en occupe, ces mecs-là s'en occupent. » Il désigna Gordon et Roy du menton, un Hawaiien et un Albanais, deux grandes armoires à glace en treillis, les techniciens les plus costauds de tout le staff de Day & Night. (Irv y avait veillé.)

— T'es juste l'hôtesse d'accueil, continua Ferretti. Tu les invites. Et Miss Lola, chérie, quand tu lances une invitation, les gens viennent. Tu vois ce que je veux dire ? Le pays entier va venir.

Ferretti attisait sans honte la soif de gloire médiatique de Lola. Pour l'instant, Lola était danseuse topless dans un rade de Bragg Boulevard appelé le Klub Kaboom. Comment Ferretti et elle étaient devenus si intimes, Irv l'ignorait ; sur ce point, les explications de Ferretti se réduisaient à un sourire. Le contrat disait que, pour son rôle dans l'embuscade, Lola recevrait deux mille cinq cents dollars. Mais, surtout, cinquante millions d'Américains haletants regarderaient la ravissante-mais-pour-l'instant-inconnue Lola Thong faire son numéro. Ferretti avait montré à Lola un catalogue incroyable de filles qui avaient fait leur trou, voire leur fortune, en s'impliquant par la tangente dans des affaires à scandale. Mais plus le moment approchait, plus Lola avait la chair de poule.

Elle commença à dire quelque chose, mais Ferretti la serra à nouveau, et, gardant les bras autour d'elle, lança à Irv :

– Lola est prête. Combien de temps on leur laisse ? Faudrait pas qu'ils soient trop bourrés.

Irv dit :

Laisse-moi réfléchir...

– Il eut soudain la sensation panique qu'il avait perdu la capacité de prendre des décisions.

Mary Cary le coupa :

– Lowe et Flory en sont à leur troisième bière. Ziggy est passé à un truc qu'il appelle Vodka Crépuscule. Ou du moins c'est ce que je pense que *cr'pus'cul'* veut dire.

– Ce môme, dit Ferretti, c'est vraiment un tas de merde. Moi je dis qu'on y va. Après trois bières, ces putains de gamins ne savent même plus qu'ils sont bourrés. Et après quelques vodka-cr'pus'cul'...

Il sourit.

Ah, Ferretti, le brave King Kong, il aimait ça. Il goûtait ces choses, et Irv l'enviait encore plus. Lui-même était partagé. D'un côté, son moi viscéral, la partie instinctive de lui-même qui savait que sa peau était la seule qu'il posséderait jamais, voulait retarder le début de l'embuscade, peut-être pour toujours. De l'autre, son moi rationnel, celui qui surveillait la carrière d'Irv Durtscher, le Bertolt Brecht de la Diffusion Planétaire, savait que l'embuscade devait démarrer maintenant. Une embuscade tendue à trois poivrots dégoulinants ne serait pas très convaincante, et pouvait même être dangereuse. Un équilibre parfait, voilà ce qu'ils recherchaient. L'idée était de laisser les trois soldats boire un peu, pas assez pour être ivres, juste assez pour se laisser aller et perdre leurs inhibitions, ce qui, pour commencer, ne semblait pas placer la barre trop haut.

Irv s'exprima aussi résolument qu'il pouvait :
– O.K., t'as raison. Tout le monde est prêt ?

Il regarda Ferretti, qui hocha la tête ; et Gordon et Roy, qui acquiescèrent. Puis Mary Cary, qui ne se contenta pas de hocher la tête mais y ajouta également un petit mouvement des lèvres exaspéré, comme pour dire : « Pour l'amour du Ciel, Irv, finissons-en ! »

Aussi Irv envoya à Lola son sourire le plus convaincant et lança :

– À toi de jouer.

Ferretti l'embrassa à nouveau.

– Pas de problème, ma poule, lui dit-il, tu sais ce que tu as à dire. Sois simplement Lola. C'est un numéro de cabaret et la star, c'est toi.

Ferretti ouvrit la porte dans la cloison et laissa Lola passer à l'avant du véhicule. Irv la suivit. Le grand pare-brise, qui partait presque du plancher comme celui d'un autocar, encadrait un coin de ciel de Caroline du Nord, repeint d'un mauve ardent et hideux par l'Enfer lumineux de Bragg Boulevard. À travers le pare-brise, Irv distingua l'envers des panneaux électriques qui s'étalaient sur toute l'avenue. Ils clignotaient avec des battements cardio-électroniques. Des formes hypercinétiques couraient sur des champs d'ampoules. Des signes pivotaient et oscillaient contre le dôme fiévreux du ciel. Toute cette bande lumineuse semblait être en rut, croupir dans le vice, lancée dans un french cancan démentiel. Des rayures blafardes et des éclats de lumière et d'ombre baignaient l'intérieur osbcur du VR, empêchant de voir qu'il s'agissait en fait d'une sorte de living-room, ou au moins de la version camping-car d'un living-room. Le long d'un côté, il y avait un divan encastré, recouvert d'un tweed indestructible ; en face, une télé avec magnétoscope intégré, plus une kitchenette compacte en acier chromé et une paire de fauteuils de passagers pelucheux qui pouvaient être transformés en couchettes. À l'avant se trouvaient le siège du chauffeur et un siège passager pivotant, tourné pour l'instant vers l'arrière, dont les dossiers rehaussés empêchaient les passants de reluquer à l'intérieur. Les vitres latérales étaient obstruées par des rideaux.

Ferretti ouvrit la grande portière du côté droit pour laisser sortir Lola, et le bruit de troupeau de Bragg Boulevard envahit le mobile-home. Pardessus le grondement de la circulation s'élevaient les vagissements et le martèlement sourd de la musique country métal que ces... skinheads... aimaient, déversés par leurs voitures qui défilaient devant le DMZ. Venant de l'intérieur du DMZ lui-même, on entendait la pulsation d'une basse électrique.

Ferretti et Lola se tenaient devant la portière et il avait passé ses bras autour d'elle. Leurs visages étaient très proches. Il lui parlait. Des rayons de lumière les balayaient au fur et à mesure que les voitures entraient et sortaient du parking du DMZ, et Irv pouvait entendre de jeunes voix mâles qui parlaient en... roumain rural... Son cœur accéléra. Mais ce n'était que quelques jeunes et éclatants soldats qui se rendaient à pied au DMZ. Ils ne s'arrêtèrent même pas pour regarder. Un grizzly pansu avec une veste Charlotte Hornets Starter et une casquette vantant les motoculteurs John Deer qui embrassait une serveuse eurasienne en petite robe noire, ou n'importe quoi d'autre, devant une maison sur roues dans le parking du DMZ ne méritait pas qu'on s'y arrête. Après tout, ici c'était l'Enfer ; c'était Fayettenam.

Ferretti embrassa une dernière fois Lola et, perchée sur ses hauts talons, elle traversa la poussière tassée de l'allée et se dirigea vers l'entrée du bar. Puis il rentra dans le VR et ferma la porte, étouffant d'un coup le bruit infernal, et Irv et lui rejoignirent Mary Cary, qui se tenait dans l'encadrement de la porte menant au compartiment arrière.

– Eh bien, dit Irv, c'est parti. J'espère seulement qu'elle ne va pas tout faire foirer.

– T'inquiète pas pour Lola, dit Ferretti. Elle est nerveuse, mais une fois qu'elle s'approchera de ces trois tas de viande et que leurs yeux vont commencer à leur sortir de la tête – des deux mains, il mima une large courbe devant sa poitrine – elle sera au septième ciel. C'est une lève-bite née. Excuse-moi, Mary Cary. Une – tu vois ce que je veux dire – bien excitée, et Lola reprend du poil de la bête. Face au mâle en érection elle a toutes les qualités d'une vraie star.

– Je l'espère, dit Mary Cary. Je n'ai pas très envie d'aller les chercher moi-même.

Mais Irv savait – et cela l'émerveilla – que, s'il le fallait, Mary Cary n'hésiterait pas une seconde à le faire.

– Allons regarder le spectacle, dit Ferretti.

Ils passèrent dans le compartiment arrière, fermèrent la porte et s'installèrent devant les moniteurs qui transmettaient en direct les images de l'intérieur du DMZ. Ils mirent des écouteurs. Irv pouvait voir Jimmy Lowe, Ziggefoos et Flory dans leur box et il entendait le martèlement et les grincements du groupe de country métal, lancé dans un slow encore plus répugnant que leur matraquage sonore habituel. Jimmy Lowe était vautré dans un coin du box. Il tenait d'une main une bouteille de bière posée sur la table. Sa tête était légèrement penchée en arrière, ce qui rendait son cou encore plus massif. Il essayait de chanter le refrain :

> *She won't abaout*
> *To give me no haaaaaaid,*
> *So all's I got was*
> *A piece uvver miiiiiiind...*

Ziggefoos éclata de rire et dit :

– Puta d'Dieu, Jimmy, c't'exac'tment aske c'te vieille Lu-cille m'a dit qua l'aimait chay toi. T'es sent'mental. Tous ces p'tits mots doux, c'est l'désir l'plus profond d'toutes les gonzes.

– Yeah, et tu peux t'la fourrer profond, dit Jimmy Lowe en dressant le majeur de sa main droite, et laisser Lucille en dehors d'tout ça.

Il parvint à tordre ses lèvres en un demi-sourire,

mais sa voix était comme une lame rouillée. Ziggy et Flory se mirent à rire.

La Lucille en question revenait souvent dans la conversation des trois soldats depuis une semaine, et était la principale source des vannes de Ziggy et Flory contre Jimmy Lowe. Apparemment, elle travaillait au Wal-Mart de Bragg Boulevard et ne voulait plus entendre parler de Jimmy.

Les têtes des trois garçons se tournèrent dans la même direction, vers un point invisible. Irv pensa qu'ils avaient dû repérer Lola. Mais il devint vite apparent qu'ils regardaient l'une des danseuses sur le comptoir.

– S'coue-les, chérie, dit Jimmy Lowe sans enthousiasme particulier. Ça m'dépasse comment qua font ça, puta d'bordel.

– Mate les côt'lettes 'd'celle-là, dit Flory. L'a été élevée dans z'un double-wide, ou quoi ?

Après plusieurs semaines passées à les écouter, Irv avait déduit qu'un double-wide était une sorte de mobile-home format jumbo-jet.

– Kask'elle a sur la jambe ? dit Ziggefoos. Pour moi, a dirait une lésion ouverte.

– Une quoi ouverte ? dit Jimmy Lowe.

– Une lésion, dit Zigefoos, comme si qu'l'avait une m'ladie vénérienn'.

– Kask c'est une lésion ?

– C'est comme – a ch'sais pas, une blessure, comme d'la syph'lis. Y'a des cohortes 'd'maladies vénérienn' qui vont t'fout'ta peau en l'air, mais t'en entends j'mais causer, paske la seul'chose qu'on cause d'partout c'est qu'du Sida.

Irv se raidit. Peut-être Ziggefoos allait-il attaquer sur l'homosexualité – et Randy Valentine.

– Puta d'bordel, quand j'tais là-bas, j'ai connu des mecs qu'avaient baisé toutes les putes d'Somalie – et t'sais comment qu'ces putes en Afrique sont supposées avoir toutes l'virus HIV ? – ces mecs fourraient toutes les putes en rang, aque leurs sœurs aussi, et j'ai jamais entendu qu'personne l'a chopé l'Sida. Mais y'en a plein qua z'ont chopé la syph'lis et toute la cohorte des m'ladies v'nérienn', juskask'leurs putains d'bites a tombent dans l'sab'. Mais y'a personn' ka cause d'ça, pask'la seule chose qua veulent causer, c'est d'trois quat'tantouzes aque l'Sida.

– Pine dans l'mille, dit Jimmy Lowe.

Irv regarda Ziggefoos sur l'écran. Où est-ce qu'il avait été chercher tout ça ? Des lésions ? Des cohortes ? Des cohortes de maladies vénériennes ? Comme l'avait suggéré Ferretti, peut-être Ziggefoos était-il simplement un petit con prétentieux ? Il était moins musclé et avait l'air moins dur que Jimmy Lowe, et pourtant, pour Irv, il avait un air menaçant bien à lui. Il était maigre et sec avec un visage mince, un long nez et une longue mâchoire. Ses yeux rappelaient à Irv un chien méchant dans le genre pitbull. Ses bras n'étaient pas gonflés de muscles comme ceux de Jimmy Lowe, mais de grosses veines couraient sur ses avant-bras comme chez les mécaniciens et autres types intimidants qu'Irv se rappelait avoir croisés en grandissant.

– Jiiimy ? Saaalut.

Sur l'écran, Irv vit les trois rednecks lever la tête. Ferretti sourit et croisa les doigts. *Jiiimy*. Ils ne pouvaient pas voir la fille qui avait dit ça, mais c'était forcément Lola.

– Tu t'souviens d'moi ? Du Wal-Mart ?

Sur le moniteur, on voyait Jimmy Lowe qui la fixait, mâchoire pendante.

– Pas exac't'ment, dit-il enfin, mais puta'd'bordel, j'voudrais bien !

Puis il sourit et se tourna vers Ziggefoos et Flory pour qu'ils approuvent son sens de la repartie. Ce qu'ils firent et on voyait bien qu'ils buvaient tous les trois à la gloire accrocheuse de Lola Thong.

– J'suis Lola. Tu t'souviiiens pas ? La c'pine d'Luciiile ?

– Comment qua j'pourrais oublier ?

Jimmy Lowe se tourna à nouveau vers ses potes et rit, et tous trois rirent, et ils dévoraient du regard la vision qu'ils avaient devant eux.

– Tu bosses au Wal-Mart ? demanda Jimmy Lowe.

Lola devait avoir acquiescé parce que Jimmy Lowe dit :

– Ouske tu bosses au Wal-Mart ?

Merde. Qu'est-ce que Lola allait bien pouvoir répondre ?

– Dans le fond.

– Dans 'l'fo-ond ? dit Jimmy Lowe, en se débrouillant pour que « fond » ait deux syllabes. Si que'j'dirigeais l'Wal-Mart, j'trouverais a meilleur endroit où t'mète qua l'fo-ond !

Tous trois rirent de bon cœur et dévorèrent un peu plus Lola des yeux.

– Eh bien, je n'travaille pas toujours au Wal-Mart, vous savez.

Elle avait dit cela avec une telle coquetterie, et avait ainsi si bien accroché les trois garçons, que Ferretti se tourna vers Irv et leva un pouce en l'air en articulant sans un bruit :

– Graine de star.

– Hey, Jimmy, fit Ziggefoos, t'vas pas 'd'mander à ton amie d's'asseoir ? Aque qui t'es, Lola ?

– Personne.

– Alors t'vas ête aque nous. Bouge-toi, Jimmy.

Jimmy se déplaça. Maintenant, Irv et Ferretti pouvaient voir Lola et sa coiffure bouffante, ses longs cils, ses yeux bridés si flashants, son sourire confiant et son derrière fait sur mesure se glisser dans le box.

– Et kesta veux boire, Lola ? dit Jimmy Lowe. T'veux une bière ?

– Une biiière ? dit Ziggy. T'as autant 'd'classe qu'un aspirateur, Jimmy. Pourquoi qu'tu prends pas comme moi, Lola ?

– Keske tu bois ?

– Une vodka cr'pus'cul'.

– C'est quoi une vodka cr'pus'cul' ?

Jimmy Lowe dit :

– C'est a boisson pour les pè – pour les gens comme Ziggy.

Il leva sa main droite, inclina son poignet et releva son petit doigt.

– Fais pas gaffe à lui, Lola. Lui et l'raffinement, y z'ont jamais été praysentés.

Cela dura un moment, avec Ziggefoos et Jimmy Lowe qui se bagarraient pour voir qui serait le plus finaud et le plus viril. Le petit Flory n'avait pas grand-chose à dire. Lola fit un compromis en commandant une Tequila Sunrise et Ziggefoos déclara qu'on voyait bien que c'était une vraie dame et qu'elle ne voulait pas rester assise ici toute la nuit comme ces abrutis à avaler de la bière. Jimmy Lowe rétorqua que le problème de Ziggefoos était qu'il avait failli se faire virer des Rangers parce qu'il avait... certaines tendances... Et Lola changea de sujet et demanda à Jimmy si c'était vrai qu'à l'entraînement des Rangers on enfermait les nouveaux dans une boîte de métal de la taille d'un cercueil, qu'on fermait le couvercle et qu'on le verrouillait sans leur dire dans combien de temps on le rouvrirait. Cela permit aux trois garçons de frimer pendant un moment et de raconter des souvenirs sur le dur entraînement des Rangers, ce qui permit à Lola de raconter à son tour qu'elle rêvait souvent ça. Elle rêvait qu'on l'avait mise dans une boîte de métal, complètement nue, et qu'elle luttait, luttait. Elle mima cette partie en secouant les épaules et la poitrine. Les trois rednecks dévoraient chaque mouvement, chaque torsion, chaque ceci et chaque cela. Et, au moment où elle pensait ne plus pouvoir tenir, disait-elle, quelqu'un arrivait, arrivait mystérieusement et soulevait le couvercle et elle se réveillait, tremblante d'excitation, avant d'avoir pu voir qui c'était. Les trois garçons étaient quasiment sans voix, essayant de trouver quelque chose à dire sans paraître totalement grossiers.

Ferretti regarda Irv et articula à nouveau sans les prononcer les mots « graine de star ».

Puis Lola afficha le sourire le plus suggestif qu'Irv avait jamais vu et demanda à Jimmy Lowe :

– T'aimes les vidéos ?

Elle regarda Ziggefoos et Flory de la même manière.

– Quel genre d'vidéos ? demanda Jimmy Lowe.

– Des vidéos *part'culières*, dit Lola.

Le sourire suggestif devint polisson. Elle prit une grande inspiration et ses seins semblèrent monter et redescendre d'une bonne trentaine de centimètres dans sa petite robe noire.

– Ça dépend, fit Jimmy Lowe qui semblait déjà haleter. Il regarda ses deux copains puis dit à Lola : J'suppose. Et où ça ?

– Dehors, dit Lola avec le même sourire polisson d'actrice de films X.

– Où kça dehors?

– Dans l'parking, dit Lola dans un souffle si brûlant que c'était comme si elle avait dit : « Dans mon boudoirrr... »

– Dans l'parking?

– Dans mon VR.

Elle baissa le menton, ouvrit ses grands yeux noirs et lança une œillade qui était la Mère de Toutes Les Insinuations.

Les garçons se regardèrent, leurs yeux lançant des éclairs en une sorte de conférence silencieuse. Cette saleté de musique country métal continuait à marteler l'arrière-plan sonore.

Finalement, Jimmy Lowe dit :

– Puta d'bordel, ça f'ra pas 'd'mal da r'garder un coup.

Ses yeux clignèrent vers Ziggefoos et Flory, pour qu'ils confirment sa décision. Puis tous quatre, Lola et les rednecks, se glissèrent hors du box.

Le cœur d'Irv accéléra à nouveau. Ils sortaient. Les caméras planquées dans le DMZ ne montraient plus que le box vide. Les autres moniteurs montraient l'intérieur vide du VR, encore dans le noir hormis les rayures clinquantes qui venaient de Bragg Boulevard et du parking. Il ôta ses écouteurs et commença à parler à Gordon et Roy – pour essayer de se calmer plus qu'autre chose. Ils savaient déjà quoi faire. Gordon avait un rhéostat pour régler l'éclairage dans le VR. Il lui demanda de le tester. Le living-room apparut sur six moniteurs, en couleur. On pouvait voir l'épouvantable garniture en faux tweed jaune et marron du divan intégré. Puis il s'adressa à Roy, qui s'occupait du son. Roy lui assura que les micros cachés, pas plus gros que la tête d'un clou, capteraient absolument tout, même le bruit de la poignée de la porte quand ils entreraient dans le VR. Puis il se tourna vers Mary Cary et commença à dire quelque chose, mais elle le regarda de travers et pinça les lèvres comme pour dire : Irv, calme-toi.

Maintenant, le cœur d'Irv battait la chamade. Il le sentait cogner dans sa cage thoracique. Et s'il faisait une crise de tachycardie ? Ou un infarctus ? Et s'il tombait dans les pommes ? Ils étaient six – lui-même, Mary Cary, Ferretti, Gordon, Roy et la grosse maquilleuse dont il n'arrivait jamais à retenir le nom – cloîtrés dans ce petit compartiment, avec les rideaux tirés... silencieux... attendant... dans la lumière bleue blafarde des moniteurs, ils avaient l'air blême. Il percevait les bruits du boulevard et du DMZ... Il remit ses écouteurs... et attendit un peu plus.

Irv eut la sensation qu'il entendait des voix, des voix de rednecks si proches que, pendant un instant, il se demanda si les trois soldats n'étaient pas déjà entrés dans le VR sans qu'il s'en aperçoive. Il regarda les moniteurs et, sur cinq des écrans, le living-room du VR s'éclaira et prit des couleurs. Personne. Il jeta un coup d'œil à Gordon qui avait la main sur le rhéostat. Puis, dans ses écouteurs – il n'en crut pas ses oreilles –, Irv entendit tourner la poignée du VR. La porte s'ouvrit, et les bruits au-dehors martelèrent ses tympans. Sur l'un des moniteurs, il pouvait voir Lola qui entrait dans le VR. La caméra plongeait droit sur sa robe ; il pouvait pratiquement voir ses seins prodigieux. Puis vinrent Jimmy Lowe, Ziggefoos et Flory. Ces petites silhouettes sur les écrans, avec leurs tee-shirts, leurs muscles, leurs jeans serrés, leurs... crânes rasés... ils n'étaient plus qu'à deux mètres de lui maintenant, de l'autre côté d'une fausse cloison, en grandeur nature.

Irv lança un coup d'œil à Mary Cary et à Ferretti. Sous cette lueur de micro-ondes mortes, ils avaient l'air d'avoir cent ans. Ils ne montraient pas la moindre émotion. Ils étaient absorbés par leurs écouteurs et les moniteurs.

À quelques mètres de là, de l'autre côté de la cloison, Lola disait aux soldats de s'installer sur le divan. Le petit Flory au centre, avec Jimmy Lowe d'un côté et Ziggefoos de l'autre. Un moniteur les montrait maintenant tous les trois, assis en rang. Trois autres écrans montraient des gros plans de chacun, cadrant leurs têtes et leurs épaules, un par un. Un cinquième moniteur montrait Lola, s'installant dans le siège du passager qui avait été tourné vers l'arrière. Sa petite robe noire était si courte quand elle s'asseyait et croisait les jambes qu'on se demandait si elle portait quelque chose en dessous.

Jimmy Lowe détaillait les lieux, tournant la tête, sa tête rasée. Les muscles de son cou étaient énormes.

– C'tout à toi, Lola?

– Hu-huhn...

– S'koi c'te section au fond?

– Oh... Ch'sais pas, dit Lola, c't'une s'pèce d'rang'ment.

Elle lui lança un sourire suintant de signification. Ils se regardèrent tous et éclatèrent de rire, un peu trop fort et un peu trop nerveusement.

Ferretti regarda Mary Cary, puis Irv, esquissa un grand sourire et articula une fois de plus les mots « graine de star ». Il continua à sourire, même lorsqu'il se tourna à nouveau vers les moniteurs. Irv voulait sourire, mais c'était au-delà de ses forces. Il était stupéfait que Ferretti puisse s'amuser à ce point d'une situation si tendue. Ils étaient tous les deux producteurs de télévision, mais c'étaient des animaux très différents.

Lola proposa aux soldats un petit alcool de malt. Ils trouvèrent que c'était une très bonne idée. Elle se leva et ouvrit le réfrigérateur de la kitchenette, d'où elle sortit une bouteille de Colt 45 qu'elle versa dans trois gobelets de papier. Sur les moniteurs, Irv pouvait suivre leurs regards – et leurs crânes rasés et leurs oreilles saillantes – tandis qu'eux-mêmes suivaient chaque mouvement, chaque torsion, chaque inclinaison du corps de Lola. Puis elle prit une cassette vidéo dans un petit placard près de la télé et l'inséra dans la fente du magnétoscope. Irv vit l'écran éteint de la rangée de moniteurs s'animer avec un amas de couleurs abstraites. Il était alimenté directement par le téléviseur installé dans le living-room du mobile-home.

Lola et les trois soldats s'installèrent. Leurs yeux étaient fixés sur l'écran : une forêt de pins... Ombragée au niveau du sol, vert et doré au-dessus, là où le soleil brille entre les branches... de la musique... une vieille chanson de Dionne Warwick intitulée *Anyone Who Had a Heart*... Au loin, la silhouette d'une jeune femme en robe blanche, une belle robe longue un peu démodée, qui lui tombe sur les chevilles. Elle porte des gants blancs et un large chapeau de garden-party. Elle tient une ombrelle et un petit portfolio attaché avec un ruban. Elle s'approche... C'est Lola... Son corsage est couvert d'un entrelacs de lacets très sainte-nitouche qui monte jusqu'au cou pour y former un petit col... mais ses seins ont visiblement hâte qu'on les libère... Elle s'arrête près d'un pin qui s'élance vers le ciel, prend son ombrelle sous le bras, détache le ruban du portfolio et en sort trois photos... En fond sonore, Dionne Warwick gémit plaintivement sur l'amour perdu et l'amour refusé...

Sur les moniteurs, Irv voyait les trois rednecks fixer l'écran de télé avec intensité. On pouvait lire sur leur regard qu'ils avaient une idée très plaisante de ce qui allait suivre.

Lola dans sa grande robe belle époque regarde avec ardeur les trois photos...

Avec ardeur, oh oui. Irv se dit qu'en tant qu'actrice Lola était pire que la pire gourde sortie d'un film muet. Mais dans la pornographie, la subtilité n'est pas une vertu. Un nuage traversa l'esprit d'Irv. Ce film vidéo était son bébé. Ferretti et son équipe avaient emmené Lola en forêt dans les collines de sable, près d'une ville baptisée Southern Pines, et ils l'avaient tourné, mais c'était Irv lui-même qui l'avait rêvé et conçu. Bon Dieu – avait-il été trop loin pour une fois ? De toute manière, personne à part les gens présents ne le verrait jamais en entier.

La caméra suit les yeux langoureux de Lola, puis se rapproche des trois photos... Jimmy Lowe, Ziggefoos, Flory... Un à un, leurs visages emplissent l'écran...

– Puta d'Dieu, dit Ziggefoos, comment qu't'as fait ça ?

– Yeah, comment qu't'as fait ça ? demanda Flory.

Jimmy Lowe regardait simplement Lola, la

bouche grande ouverte. Et maintenant les deux autres faisaient de même. En fait, les photos étaient des tirages des bandes prises avec les caméras cachées au DMZ, deux semaines auparavant.

– Chuuuut ! dit Lola. J'vous z'avais pas dit qu'c'te vidéo était « part'culière » ?

Elle sourit en y mettant le maximum de suggestion.

Dans la forêt de pins, Lola regarde des deux côtés, comme pour être certaine qu'elle est seule. Elle se baisse, pose son ombrelle, le portfolio et les photos sur le sol, se redresse et regarde à nouveau. Elle ôte ses longs gants blancs et les laisse tomber à terre. Elle amène ses mains à sa gorge et commence à défaire son corsage...

Les trois rednecks avaient compris que leurs attentes libidineuses allaient bientôt être comblées. Plus de doutes quant au but de cette production.

Un solo de saxophone... Lola défait les lacets... Le chapeau de garden-party s'en va... Avec maints tortillements et maintes contorsions, elle s'extrait de sa robe... Une fois de plus elle regarde avec ardeur les trois photos posées sur le sol devant elle... Une image fixe de Jimmy Lowe... Qui s'anime soudain. Puis Ziggefoos, même effet. Puis Flory... Et soudain la musique country métal fait irruption et ils sont tous les trois dans leur box au DMZ, en train de parler autour d'une bière.

Jimmy Lowe dit :

– Dieu du Ciel tout p'ssant, Lola, j'veux dire,

meeerde, ouske t'as eu ça ? Keske c'est qu'c'te vidéo ?

– Viidéoo interaaactive, dit Lola, d'une voix qui veut dire : Vous savez sûrement tout sur la vidéo interactive.

Viidéoo interaaactive... Ferretti se tourna vers Irv et Mary Cary avec un immense sourire. *Graine de Star!* Mary Cary lui rendit son sourire. Et tout ce à quoi Irv pouvait penser, c'était : Et si Jimmy Lowe se mettait vraiment en pétard et défonçait la cloison pour dénicher le Magicien d'Oz ?

Heureusement, personne, ni Lola ni qui que ce soit d'autre, n'eut à fournir plus ample explication, parce que le film revenait dans la forêt de pins...

Une fois de plus, Lola avec les immenses pins dressés... esclave de l'extase... roulant des hanches et balançant son bassin en rythme avec la musique country métal... Elle défait le devant du corset. Elle l'ouvre en grand, l'écarte, l'abandonnant à la forêt, et révèle ses seins magnifiques.

Les trois rednecks étaient hypnotisés. Ils étaient en coma sexuel profond.

Elle baisse les yeux avec coquetterie et regarde vers le sol. À nouveau les trois photos... Jimmy Lowe... Ziggefoos... Flory... Les photos s'animent encore une fois et on revient en gros plan dans le DMZ... Ziggefoos parle :

– Ta vois qu'n'aspèce d'enculay décavé total aqu'une barb d'quat jours et lay joues comme çaaa (il creuse ses joues et roule ses yeux en arrière) qu'a l'air d'Jésus et qua cause qu'du Sida et qua d'c'te loid'pède.

Et Jimmy Lowe dit : « Pine dans l'mille. » Sur la vidéo, ils parlent de Holcombe, qui est suspecté d'être homosexuel, et Ziggefoos raconte son histoire de pension de famille à Myrtle Beach où lui et son frère ont vu les « pèdes sur l'toit qui s'enculay à mort ».

C'est bon, c'est génial, c'est grand ! pensa Irv en respirant très vite. Ils étaient dans une telle transe sexuelle qu'ils ne se regardaient même plus, ne montraient plus le moindre signe d'alarme. Ils ne voyaient pas ce qui allait leur tomber dessus.

La caméra revient sur Lola... à demi nue dans la forêt... La musique country métal s'estompe... Lola écarte les jambes et glisse ses doigts dans son cache-sexe. Elle commence à rejeter la tête en arrière, comme prise d'une extase incontrôlable....

Soudain la vidéo revient dans le box du DMZ. Ziggefoos dit :

– Et voilà d'quoi j'parle quand j'dis qua parlent qua des loid'pèdes et d'la marge laygale ent' les homosaykschuels et toute sta meeerde.

Puis Jimmy Lowe hoche la tête, se penche sur la table vers Ziggefoos, regarde des deux côtés pour être sûr que personne ne les espionne et dit :

– Ta viens d'mettre l'doigt d'ssus, mon vieuuux...

Le vacarme clinquant du country métal...

– N'importe qui qu'a vu aske j'ai vu. Il hésite, puis conclut : Tout l'monde l'aurait fait aske j'ai fait, ou au moins l'aurait voulu l'faire.

Maintenant, sur les moniteurs, Irv pouvait voir que les trois garçons se lançaient des regards. Ils n'étaient pas assez bourrés ou pas assez abrutis par le sexe pour ne pas se rendre compte qu'ils avançaient en terrain miné... Les détails de ce que Jimmy Lowe avait fait quand il avait vu Randy Valentine pratiquer une fellation dans les toilettes d'un bar de Bragg Boulevard...

Mais la vidéo revient sur la forêt... Lola, lançant des regards polissons, fait courir sa langue rose sur ses lèvres de rubis. La caméra zoome sur son ventre, descend vers son entrejambe, cadre sa couronne de poils pubiens, les lèvres de sa vulve...

Bingo ! Retour dans le box au DMZ... Jimmy Lowe dit :

– J'ai vu une aspèce d'fente, et c'tait quand j'ai défoncé la puta d'porte. Pété l'ptit verrou, d'un coup d'pied.

Ziggefoos dit :

– Y'a qualqu'un qua dû s'dm'ander ski l'a cogné, bordayl.

Et Jimmy Lowe dit :

– C'te bon Dieu d'porte l'a cogné, j'm'rappelle. C'tenculay, l'était dj'à d'bout quand j'lai chopé.

Sur le moniteur, Irv vit Jimmy Lowe se tourner

vers Ziggefoos. Tout son visage était en alerte maintenant.

– Kesk'c'est k'sta meeerde? dit-il. Puis il regarda Lola. Il était en colère. Mais kaski's'passe ici, bordayl?

Lola continuait à sourire, et pourtant Irv pouvait détecter la peur dans ses yeux. Elle se leva de son siège, puis désigna le téléviseur.

Ni Jimmy Lowe, ni Ziggefoos, ni Flory ne purent y résister. Leurs yeux se tournèrent vers l'écran.

Et voilà, Lola dans la forêt, les doigts glissés dans son entrejambe, ses hanches roulent, ses porte-jarretelles se balancent comme des pompons, ses seins montent et redescendent – et les trois rednecks étaient transportés. Ils ne pouvaient s'en détacher.

Irv se tourna vers Mary Cary, qui était juste à côté de lui, ses écouteurs sur la tête, les yeux rivés sur les moniteurs. Il lui donna un léger coup de coude, puis tint son index devant son visage et le fit pivoter dans le sens des aiguilles d'une montre pour indiquer que la bande était bientôt finie – qu'elle allait bientôt devoir entrer en scène. Il pouvait à peine la distinguer tant il faisait sombre. Sombre, chaud et moite ; il pouvait à peine respirer. Mais Mary Cary se contenta de hocher vaguement la tête et jeta un coup d'œil pour voir si sa grosse maquilleuse était toujours sur le qui-vive, puis elle se tourna vers les moniteurs. Irv poussa Ferretti du coude. Il ne pouvait en croire ses yeux. Ferretti arborait un large sourire.

Le dos de Lola est arqué. Ses deux mains sont sur son sexe. Son bassin est poussé en avant. Elle halète, elle soupire, elle grogne, encore un peu plus. Et puis elle part dans des Hanh hanh hanh HANHHHHHHHHH-hhhhhhhhhhhh – un cri de mourante.

La caméra recule... Le refrain au saxophone de *Anyone Who Had a Heart* s'estompe...

Pendant un moment, Jimmy Lowe resta coi, même quand la bande arriva en fin de course. Puis Ziggefoos lui frappa le côté de la cuisse avec le dos de la main.

– Ch'sais pas, Jimmy, mais j'aim' pas sta meeerde.

Jimmy Lowe se tourna vers Lola, qui se tenait maintenant près de la porte du VR. Elle essayait de se raccrocher à son sourire et commençait à perdre la bataille.

– Écout', Lola, ch'sais pas, mais j'veux savoar ski s'passe et j'veux l'savoar tout'suite.

– D'la télay inteeeractiiive, dit Lola, inteeerac-tiiive.

Elle s'accrochait à ces mots comme à sa dernière planche de salut.

– Tu peux t'inteeractiiiver aque ma pine, Lola, dit Jimmy Lowe. Ch'tai posé une simp' question.

– Tu m'crois pas ? dit plaintivement Lola. Inteeeractiiive... D'la télay inteeeractiiiive, Jimmy !

TROISIÈME PARTIE

Celui avec des couilles

Jimmy Lowe regardait Lola et commençait à grogner. Derrière la cloison, Irv sentait son cœur battre furieusement. Il avait toujours ses écouteurs et mourait d'envie de les arracher. Son système nerveux central hésitait entre le mode « fuite » et le mode « combat », avec une grosse préférence pour le mode « fuite », et il se rendait compte que ses écouteurs le gêneraient. Il regarda Mary Cary et articula un seul mot : « Prête ? » Mais elle avait déjà anticipé. Elle avait ôté ses écouteurs et se tenait debout, immobile, devant la cloison, tandis que la grosse maquilleuse lui regonflait son épaisse chevelure blonde et tapotait son front et son nez avec un tampon de fond de teint. Les deux techniciens, Gordon et Roy, étaient déjà debout aussi, écouteurs enlevés, prêts à la suivre. Quelle belle paire de gorilles ils faisaient ! (Dieu merci !) Ils avaient la trentaine, mais, sous la pâle lueur des moniteurs, leurs visages ressemblaient à des rochers sous-marins sans âge. Ferretti se tenait près d'eux. Il avait également enlevé ses écouteurs. Il fit un clin d'œil à Irv ! – un clin d'œil ! Comme s'il ne ressentait pas la moindre inquiétude ! Une fois de plus Irv s'émerveilla.

– J'vais t'montrer, Jiiimy, j'vais t'montrer tout d'suite !

C'était la voix de Lola qui résonnait dans les écouteurs d'Irv. Elle perdait toute contenance. Il regarda les moniteurs. Elle essayait de raviver leur concupiscence. Elle avait également la main sur la poignée de la porte du VR. Miss Lola Thong était prête à rompre son bail.

– Là, r'gardez !

Elle désigna la cloison.

– Z'avez une v'siteuse spéciale !

Irv se tourna vers Mary Cary et, avec un regard frénétique, il murmura : « Maintenant ! » Mais elle passait déjà par la porte dissimulée dans la cloison. Elle n'avait pas besoin qu'on la pousse ! Elle avançait tout droit pour affronter ces... skinheads !... ces assassins ! Irv Durtscher, le Maxime Gorki des mass media, se tassa involontairement sur son siège. Pas la peine. Gordon, Roy et Ferretti franchirent la porte immédiatement derrière elle et leurs carrures d'armoires à glace bouchèrent l'ouverture.

Irv se tourna vers les écrans. Aucune des caméras cachées n'avait encore capté Mary Cary, mais il pouvait voir les trois soldats, assis sur le divan, qui la regardaient. Sur un autre moniteur, on voyait

Lola qui s'en allait, se glissant hors du VR et refermant la porte derrière elle. Les soldats ne s'en rendirent même pas compte. Ils étaient totalement sidérés. Devant eux se tenait une grande bombe blonde dans un chemisier de soie couleur crème ouvert jusqu'au sternum, avec une veste de cachemire bleu ciel et une jupe blanche courte qui dévoilait une magnifique paire de jambes... et, de plus, c'était la bombe blonde la plus célèbre de toute l'Amérique.

– Bonjour, Jimmy, dit Mary Cary, je suis Mary Cary Brokenborough.

Mérry
Kérry
Broken
Bérrouh

Exactement comme chaque semaine, au début du magazine ! Aucune différence ! Pas un trémolo dans sa voix ! Irv était sidéré, même s'il l'avait déjà vue cent fois à l'œuvre. Son admiration, son envie surpassèrent sa peur tandis qu'il se penchait vers les moniteurs, tout ouïe.

– Allay, c't'une blaaague, dit Jimmy Lowe, bouche bée, la tête penchée d'un côté. J'peux pas 'l'croare.

Il essaya de sourire, comme si quelqu'un d'autre allait répondre par un sourire et lui révéler qu'il s'agissait d'une sorte de gag inoffensif.

– Oh, tu peux le croire, Jimmy, dit Mary Cary.

Je suis Mérry Kérry Brokenbérrouh, et j'ai une bonne nouvelle et une mauvaise nouvelle pour toi. La bonne, c'est que nous ne sommes pas la police. La mauvaise, c'est que nous sommes Day & Night.

Maintenant, comme Irv pouvait le constater sur les moniteurs, Mary Cary s'était plantée devant le divan et elle était cadrée par les caméras cachées. Ce que les caméras ne captaient pas, et que les cinquante millions de spectateurs de Day & Night ne verraient pas, c'était la ligne de mastards qui se tenaient contre la cloison comme des centurions maussades : Gordon, Roy et Ferretti.

Jimmy Lowe ne dit rien. Il regarda Ziggefoos, puis Flory, puis ils se regardèrent tous les trois. C'était le moment clé. Ces trois gamins n'étaient pas des neurochirurgiens, mais ils étaient assez malins pour savoir – bingo ! – que leurs ennuis venaient de commencer. Ils allaient devoir prendre une décision. Un trio plus âgé, plus brillant ou non, aurait très bien pu refuser de dire un mot de plus et quitter tout simplement les lieux, ou bien, pourquoi pas, passer à l'attaque. Mais ces trois-là faisaient partie de la troisième génération d'enfants de la télévision. Pour eux, la télévision n'était pas un moyen de communication, c'était l'air que l'on respirait. La télé faisait partie de la vie, aussi naturellement que l'oxygène, et il ne serait venu à l'idée de personne de la jeter dehors, pas plus qu'on ne virait l'air de ses poumons. Mérry Kérry Broken-

80

bérrouh entrait chez vous chaque semaine, aussi inévitablement que la pression atmosphérique – et elle venait d'être téléportée en présence de ces trois gamins. Ils étaient sous le choc, frappés d'un respect mêlé de crainte, hypnotisés – et à cet instant ils avaient perdu le combat contre la logique. Ils ne combattirent pas et ne s'enfuirent pas. Ils restèrent sur leur position, transpercés par l'aura de la déesse des ondes, qu'on pouvait craindre, qu'on pouvait détester, mais qu'on ne pouvait pas rejeter. Elle faisait partie de leurs vies, comme leur pression sanguine, et *elle avait des questions à leur poser.*

Sur les moniteurs, Irv vit se tourner les têtes rasées et les oreilles saillantes. Mary Cary venait de s'installer dans le siège que Lola avait occupé. Elle désigna le téléviseur.

– Vous avez reconnu ce que vous venez de voir, non ?

– Puta d'merde, fit Ziggefoos. (Il avait un petit sourire incrédule au coin des lèvres.) Aske c'est vraiment toi ?

– Je crois que vous m'avez reconnue et je crois que vous avez reconnu ce que vous venez de voir, dit Mary Cary en désignant à nouveau le téléviseur du menton. Elle parlait calmement et fermement comme si elle pratiquait ce genre de chasse au bingo tous les jours.

– Puta'd'Dieu, dit Ziggefoos, avec une sorte d'exagération si démente qu'Irv en sursauta.

Mayrry Kayrry... Mayrry Kayrry... bordayl, tu 't'fous d'nous, hein?

— Cela ne vous a pas semblé réel? demanda Mary Cary. Vous, Jimmy, Ziggy et Flory parlant de ce qui est arrivé à Randy Valentine... avec vos propres mots?

— Mayrry Kayrry... Mayrry Kayrry... (Ziggefoos avait un ton rêveur et un air rêveur et un petit sourire idiot.) De quoi qu'tu causes, Mayrry Kayrry?

— De quoi vous *causiez*, vous, Ziggy, toi et Jimmy et Flory, sur cette bande vidéo? Pourquoi est-ce que vous ne me dites pas...

— Tout aske j'ai vu, c't'une pute qu'a s'frottait la chatte sous les pins, Mayrry Kayrry, dit Ziggefoos.

Mary Cary ignora tout simplement ce commentaire.

— Pourquoi ne me dites-vous pas (elle regardait Jimmy Lowe droit dans les yeux), pourquoi ne me dites-vous pas exactement ce que vous avez fait quand vous avez surpris Randy Valentine dans les toilettes cette nuit-là?

— Mayrry Kayrry, dit Ziggefoos. (Il s'arrêta.) T'as d'jà bu une vodka cr'pus'cul'?

— Non, et si j'étais toi...

— Allez, on va s'jeter kek vodkas cr'pus'cul', Mayrry Kayrry, just'là, au DMZ.

Foutu gamin, avec ses Mayrry Kayrry! songea Irv. Il avait déjà constaté cette irritante familiarité, surtout chez les jeunes. Le visage et la voix de Mary Cary Brokenborough étaient si familiers que les gens avaient l'impression qu'ils la connaissaient personnellement. Elle résidait déjà en eux, quelque part. Et ce môme était assez malin, ou assez bourré, pour utiliser cette espèce d'intimité diffuse afin d'essayer de transformer l'embuscade en une sorte de flirt merdique.

L'expression paniquée de Jimmy Lowe commença à se dissiper quand la beauté de cette stratégie lui apparut, et lui aussi se mit à sourire et dit :

— C't'une puta'd'bonne idée ! S'coue tes puces, poupée, ask'on y va !

— Pine dans l'mille ! dit Flory.

Ziggefoos leur sourit à tous les deux. Le clan s'était reformé.

— Merci beaucoup, dit sèchement Mary Cary, mais je ne suis pas là pour m'amuser. Je suis ici pour...

— Awwwwwwww, allay, Mayrry Kayrry, dit Ziggefoos, sois pas com'ça. T'es sapée pour allay en virée, poupée ! Si tu veux pas d'la vodka cr'pus'cul', j'nous prendra une Coors light, grand' bouteille. Si j'm'envoye une bière, t'en auras la moitiay.

Jimmy Lowe et Flory craquèrent à cette réplique. La moitiay ! Ça faisait riche, pas à dire !

Ainsi encouragé, Ziggefoos dit :

– Et un paquet 'd'Salem longues, aussi. On n'a pas beaucoup d't'ouristes d'New York au DMZ. C'est d'là qu't'es, hein? D'New York City?

Jimmy et Flory étaient morts de rire. Irv commençait à désespérer. Mary Cary les avait confrontés, mais la confrontation tournait à la farce.

– Vous allez beaucoup moins rire si vous vous retrouvez accusés de meurtre, dit Mary Cary. (Elle balança l'affirmation avec une telle fermeté et une telle voix de stentor que Jimmy Lowe cessa de rire. Elle avait capté son attention.) Sur cette bande que vous venez de voir, vous décrivez l'agression gratuite sur la personne de Randy Valentine, dans les toilettes d'un bar pas loin d'ici. Vous...

– Awwwwwww, laiss'pissay, Mayrry Kayrry, dit Ziggefoos. On est pas à Day & Night. Ici fait nuit sur Bragg Boul'vard. R'file-toi a coup d'peigne et on y va.

Mais Mary Cary concentrait son feu sur Jimmy Lowe.

– Tu viens de décrire comment tu as enfoncé une porte d'un coup de pied, aplati Randy Valentine contre un mur et commencé à le tabasser.

Elle ne le lâchait pas. Elle le toisait. Il était assez près d'elle pour lui sauter à la gorge.

– T'as b'soin d'un coup à boare, dit Ziggefoos. T'as b'soin d'laisser un peu allay.

Ziggefoos continuait de sourire, mais Jimmy Lowe et Flory n'avaient plus le cœur à la rigolade.

Ils se regardèrent, puis ils regardèrent Ziggefoos, alarmés.

– Tu as également décrit tes motivations, dit Mary Cary. Tu as été très clair à ce sujet. C'était de l'homophobie. Tu as agressé Randy Valentine parce qu'il était différent, parce qu'il n'avait pas ton orientation sexuelle, parce qu'il était *gay*. N'est-ce pas exactement ce que tu viens de nous dire ?

– J'ai j'mais dit a chose pareille, dit Jimmy Lowe.

Il avait un air désespéré, comme s'il n'arrivait pas à comprendre comment cette apparition nationale, qui s'était soudain matérialisée derrière le DMZ sur Bragg Boulevard, pouvait lui lancer de telles accusations au visage.

– Mais on vient de t'entendre, dit Mary Cary. On vient de te voir. Tu l'as clairement exprimé.

– Tout aske j'ai dit c'est...

– Ta gueule, Jimmy, fit Ziggefoos.

– Et on t'a entendu, toi aussi, dit Mary Cary. Et votre ami, là, Flory. Vous avez admis votre implication dans l'affaire, et vous avez même décrit vos propres motivations. Randy Valentine n'était pas « d'vot' paroasse », n'est-ce pas ce que tu as dit, Flory ? Le mode de vie des homos est dégueulasse. N'est-ce pas ce que tu as dit, Ziggy ?

Irv s'émerveilla. Mary Cary les tenait cloués sur place. Il n'y avait pas la moindre hésitation dans sa voix. Ses phrases s'enchaînaient parfaitement. Elle tenait le bon bout. S'ils ne s'arrêtaient pas de parler maintenant, ils allaient se pendre pour de bon.

Ziggefoos hésita. Puis il dit :

– Kesk't'en sais, d'abord ?

– Je sais ce que je viens de vous entendre raconter – toi et Jimmy et Flory – avec vos propres mots. (Elle regarda à nouveau Jimmy Lowe.) Si ce n'était pas pour la raison que tu as évoquée, alors pourquoi as-tu agressé Randy Valentine ?

Jimmy Lowe dit :

– Tout aske j'ai...

– Mais ferm'la, Jimmy ! fit Ziggefoos. T'as pas à lui dire l'moindr'truc, bordayl !

Puis il regarda Mary Cary. Pour Irv, planqué derrière sa cloison face aux moniteurs, les yeux rapprochés de Ziggefoos et son visage long et étroit semblaient plus menaçants que jamais.

– J'parle pas d'ça, Mayrry Kayrry, dit-il. Y'a aucun a d'nous qu'a à voir aque Randy Valentine. On sait rien de ski lui est arrivé, bordayl. Mais j'vais t'dire une chose.

– Quoi, par exemple ?

– J'peux t'dire une chose sur l'style d'vie des pèdes.

– Très bien, vas-y.

– A pourra jamais coller aque l'Armée US...

– Ah bon ? Et pourquoi ça ?

– T'as d'jà connu kékun qu'était dans l'Armée US ?

86

– Eh bien, précisément, oui, mon père était dans l'Armée. Il s'est battu en Corée.

– Tu lui as jamais d'mandé ski pensait d'avoir des homosaykschuels aque lui dans l'armée ?

– Non, jamais, mais je suis certaine qu'il n'aurait pas été d'accord pour les massacrer.

– Tu sais ask'un soldat l'est supposé faire ? T'sais pourquoi qu'il est là ?

– Dis-le-moi, dit Mary Cary.

Il y avait une pointe d'irritation dans sa voix. Elle n'aimait pas ce que ce gamin redneck était en train de faire, prendre le rôle de l'interrogateur.

– Un soldat l'est là pour s'batt', dit Ziggefoos. L'est là pour r'squer s'puta'd'vie.

Il fallut un certain temps pour qu'Irv comprenne que *s'batt'* était se battre, et que *r'squer s'puta'd'vie* voulait dire risquer sa vie, tout simplement.

– C'est là ks'a s'passe. D'temps en temps dans a pays, n'import'quel pays, y faut des hommes pour s'batt et r'squer leur puta'd'vie. Et tu crois k'ya n'importe quel gars qua veut nat'rel'ment r'squer s'puta'd'vie, comme ça ?

Il attendit sa réponse.

Mary Cary, irritée :

– Continue.

Bon Dieu ! pensa Irv. Ce môme était un sac à merde, mais il avait le coup de main pour reprendre le scénario et renverser la situation. Si seulement elle avait pu faire parler Jimmy Lowe ! Mais Ziggefoos l'avait coupé. Jimmy Lowe et Flory restaient là à écouter, la bouche ouverte et les yeux qui clignotaient, passant de Mary Cary à Ziggefoos et de Ziggefoos à Mary Cary. Eh bien, peut-être qu'il pourrait...

— Pute a'd'Dieu qu'non, dit Ziggefoos. Y'a personne qua va juste nat'rel'ment r'squer sa puta'd'vie. Tu sais aske j'essaye 'd'te dire ?

— Vas-y.

— Faut qu'tu prennes tous ces gars et qu'tu les transform' en une 'nité. Une Unité. Tu sais d'quoi qu'j'cause ? L'Unité est la seule chose qua connaît pas la peur. Quand t'es sur l'terrain et qu't'es collé au sol par a ps'anss d'feu s'périeure...

Une fois de plus, il fallut un certain temps à Irv pour traduire : *a ps'anss d'feu s'périeure* signifiait une puissance de feu supérieure – ils allaient devoir utiliser des sous-titres, c'était certain.

— ...l'unité c'est la seul'chose qua va pas s'cavaler. L'in'd'vidu ? Y va t'passer d'ssus, Mayrry Kayrry. J'm'en fous a d'qui c'est. Y va t'passer d'ssus pour s'cavaler. Mais quand il est dans zan 'Unité – c'est pas qu'son cerveau et son prop'cœur qui fonctionn'. L'a tous les cerveaux et tous les cœurs d'la patrouille dedans aque lui, si qu'i veut ou pas, et même si qui veut pas l'entend', y vont lui dire : Un homme s'cavale pas, un homme tient l'terrain, un homme r'sque sa puta'd'vie s'y faut. Si t'es pris sous l'...

Mary Cary l'interrompit.

— Eh bien, le seul homme dont la vie a été risquée dans ce cas précis...

— ... Si t'es sous l'feu...

— ... était un homme qui n'essayait pas de...

— Laiss'-moi finir, Mayrry Kayrry. Si t'es sous l'f...

— Très bien, dit Mary Cary, puisque tu frimes avec ton feu, parlons un peu du feu. Quand est-ce que tu as été sous le feu ? Pas à l'exercice, hein – un vrai feu. Le vrai feu. Alors ?

— J'étais...

— Ou bien n'est-ce qu'une grande théorie militaire bien à toi ?

— J'ai été au feu.

— Vraiment ? Comme c'est intéressant. Quand ça exactement ? En Corée ? Au Viêt-nam ? – qui s'est d'ailleurs achevé pas longtemps après ta naissance. Tu n'as jamais été sous le feu pour de vrai, n'est-ce pas ?

— A que si, j'lai été.

— Ah bon ? Et quand exactement ? Où ça, exactement ?

— En Somalie.

— En *Somalie*, dit Mary Cary, en y allant franco dans la dérision. Une mission humanitaire pour apporter de la nourriture aux populations affamées. Et tu as été sous le feu ?

— T'as j'mais entendu causer du Bloody Sunday ?

89

Sur son moniteur, Irv vit la consternation s'installer sur le visage de Mary Cary. Un sixième sens lui dicta de ne pas répondre « non », parce que « Bloody Sunday » clignotait quelque part dans sa mémoire, mais elle ne savait pas à quel événement cela correspondait. Elle demeura sans expression. Les roues tournaient, les alarmes clignotaient, et aucune réponse ne venait.

Mary Cary pouvait, à l'occasion, étudier en profondeur un sujet pour Day & Night, mais ce n'était pas une dévoreuse d'infos, ni dans la presse écrite ni même à la télé ; pas comme lui, Irv. Comme beaucoup de gens de la télé d'aujourd'hui, Mary Cary n'était pas venue dans le métier par la filière du journalisme, mais par un cours d'art dramatique – celui de l'université de Virginie, dans son cas précis. La star des infos n'était pas le chasseur de nouvelles, mais l'acteur face à la caméra. Quand des gens comme Mary Cary – et elle était loin d'être la seule – étaient envoyés comme correspondants, ils se faisaient fort d'être capables d'aller n'importe où, d'arriver avec zéro information, de se faire briefer dix à quinze minutes avant l'antenne par le fouineur de service, puis de passer devant la caméra et de recadrer le tout avec un air d'autorité, un air profond, insondable, suffisant, même. Ils effectuaient une... *performance*. L'ascension de Mary Cary avait commencé un soir de 1979. Son producteur, un gnome sympathique comme un chancre nommé Murray Lewis, l'avait expédiée au cœur de la tourmente pour couvrir la crise des otages à Téhéran. Elle avait foncé directement de l'aéroport jusqu'à l'ambassade des États-Unis, juste à temps pour le JT du soir aux USA, s'était installée devant des hordes de manifestants iraniens qui hurlaient, brandissaient des pancartes, brûlaient des drapeaux et piétinaient des effigies, et, avec zéro information et un peu moins de trente secondes de *briefing* des fouineurs de la chaîne qui étaient sur place, elle avait, sans la moindre vergogne, paraphrasé le communiqué de l'Associated Press concernant les événements, pendant que Murray, qui était à New York, le lui lisait par satellite dans son oreillette cachée sous sa luxuriante chevelure blonde. Ses lèvres pulpeuses avaient tout répété avec un air de spécialiste des affaires étrangères qui aurait laissé béat d'admiration un Bismarck ou un Kissinger.

Mais en cet instant précis elle n'avait ni Murray Lewis ni même Irv Durtscher pour lui chuchoter à l'oreille, et elle adopta donc son attitude standard pour les rares cas où elle était dépassée ou embarrassée.

– Continue, dit-elle d'un ton qui laissait cruellement entendre que ce pauvre diable ne pouvait que creuser sa propre tombe.

Irv se raidit. Il savait ce qu'était le Bloody Sunday, le dimanche sanglant.

– C't'ait un d'manche, l'trois octob', mil neuf cent quat'vingtreiz', dit Ziggefoos. (Soudain il lança à Mary Cary un regard sévère, sans ciller, un regard de rectitude.) Not'unité, on était à l'est d'l'amb'ssade am'ricaine et not' commandant, l'major Lunsford, y dit – bref, l'truc c't'ait qu'un inform'teur ou kakchose avait cafté qu'ce Mohammed Aïdid aque kekz'uns d'ses top-lieutenants avaient un meeting secret vers...

Mary Cary le coupa :

– C'est très intéressant, j'en suis sûre, mais revenons à notre affaire, et notre affaire c'est le meurtre de Randy Valentine.

Ziggefoos n'écoutait pas. Son allure s'était faite encore plus sévère, plus accusatrice. Le garçon ne cilla pas, pas une fois. Il continua sur sa lancée dans son charabia de redneck.

– Y z'avaient un meeting secret à l'Olympic Hotel, les mecs d'Aïdid, t'vois, et le commandant y nous colle les quarante d'ent'nous dans deux MH-6O. C'est des z'hélicos. On les z'appelle des Black Hawks. L'est apeupray troi'z'heures d'l'aprem, souza soleil d'plomb, et z'avaient d'jà envoyé une aut' unité d'Rangers du QG et eux et kek z'aut' Commandos Delta...

– Je ne m'intéresse pas à...

Mais la nouvelle voix de Ziggefoos la transperça.

– Et en pas deux minut', tous ceux qu'on est,

ceux d'l'ambassad', et l'unité d'l'aéroport on est à l'Olympic Hotel, et si t'as d'jà entendu vingt z'hélicos MH-60 en l'air en même temps – j'veux dire, on parle d'tonnerre – tous les puta d'mecs de c'ta puta d'ville qu'avaient un flingue y s'ramènent, pask'y savent qu'ya kek chose d'gros qui s'passe.

Mary Cary semblait paralysée par son récit et son satané regard.

– Not'unité, dit Ziggefoos, on descend en rappel pendus apray une puta d'corde, trente mèt' en l'air su'l'toit d'l'hôtel et les unités d'l'aéroport, y sont d'jà entrés dans l'hôtel et y z'ont dj'à bloqué l'meeting d'ces puta d'Dieu d'mecs d'Aïdid, et eux et nous, toutes les z'unités, on attend plus qu'les Humvees a viennent pour emporter les prisonniers, quand d'un coup y'a l'enfer qui s'déchaîne.

– Tu en connais un brin sur comment déchaîner l'enfer, pas vrai ? dit Mary Cary, mais sans son habituel ton de commandement. L'enfer s'est déchaîné pour Randy...

– Et ces enculays d'miliciens somaliens, dit Ziggefoos – y z'ont dit après qu'y d'vaient êt' quatre ou cinq cents – z'avaient pas d'uniformes, les miliciens d'Aïdid z'en avaient pas. Z'étaient pas rationnés sur les balles, non pus. Y'en avait plein la ville, qui r'semblaient à n'import'qui, vivant dans leurs puta d'cabanes ou même dans les puta d'rues. Y'avait une puta d'embuscad' permanente prête à nous tomber sur l'dos si on s'exposait. Y'en avait dans les z'arb', y'en avait derrière ces puta d'termitières qui z'ont partout dans Mogadiscio – qu'on dirait des tas d'terre, l'un derrière l'aut' – y'en avait plein qu'étaient habillés en femmes aque des AK-47 et des grenades et ch'sais pas quoi d'aut' encore sous leurs robes. Z'avaient des lance-grenades et des z'automatiques Glock et tout l'bordayl de puta d'merde de matos possib', ces enculays, et l'prochain truc qu'on s'prend c'est qu'un hélico y dégringole, y s'écrase, y s'aplatit dans la rue, et maint'nant faut qu'on sorte dans c'ta puta d'rue en plein jour pour former l'périmèt' autour d'l'hélico paske l'pilote, l'est coincé dans la carcass' et l'a encore en vie. On peut l'entend' hurler : « J'ai un mort, là-dedans ! J'ai un mort avec moi ! » Et d'un coup, j'vois des types autour d'moi, des potes, des mecs que ch'connais d'puis qu'chuis dans les Rangers, qui s'font allumer, qui tombent, éclatés dans les puta d'rues d'Mogadiscio. Ch'fais à peu près dix mèt' pour arroser une grappe de ces fils d'putes qui nous tirent d'ssus d'puis l'haut d'un arb' et blam – chuis parterre, ma puta d'gueule dans la meeerde. Une puta d'schrapnel de grenade m'a touché tout l'long du bras gauche, à la jambe gauche et su'l'côté gauche d'mon dos.

Sur ces mots, il leva son bras gauche jusqu'à ce que son coude atteigne le niveau de son oreille et Irv put voir, claire comme le jour, une énorme cicatrice sur l'arrière du bras de Ziggefoos qui disparaissait sous la manche du tee-shirt.

– Et c'est rien qu'une, dit Ziggefoos. J'ai des cicatrices com' ça sur tout l'côté gauche du corps. On était pris en embuscad', Mayrry Kayrry, une embuscad' ! L'embuscad' de toutes les embuscad' ! Les Somalis ? – Et leur puiss'nce 'd'feu s'périeure ? eh ben, c'tait comme si z'avaient poussé du sol d'un coup et poussé comme d'feuilles sur les z'arb' et qu'y pleuvait d'la meeerde – s'cuse-moi, Mayrry Kayrry – qu'ça pleuvait sur nous d'partout autour, dans tous les sens.

Sur le moniteur alimenté par la caméra qui cadrait Mary Cary, Irv pouvait voir qu'elle avait la bouche entrouverte et que ses yeux étaient écarquillés. Elle semblait avoir le souffle coupé.

– Moi, j'pouvais pas bouger, dit Ziggefoos. Ma joue l'était couchée dans l'sang qua m'coulait d'mon prop' bras. Jimmy – il désigna Jimmy Lowe, et, sur les moniteurs, Irv pouvait voir Jimmy Lowe et Flory qui clignaient des yeux comme des malades – Jimmy y sort pour aller m'chercher, y sort dans la rue, y l'est plus à couvert et – blam ! – Jimmy l'est au sol aussi. Une balle d'AK-47 l'est rentrée dans s'n'épaule et l'a sortie par son dos et une aut' l'est rentrée dans sa cuisse, et tous les deux, on est tous les deux aplatis au m'lieu de ct'e puta d'rue à saigner com' des cochons, et l'air y est plein d'schrapnel et c'est la pire meeerde qu't'as

95

jamais vue – excuse-moi, Mayrry Kayrry – et j'jure sur Dieu dans l'Ciel que j'pouvais voir des balles voler vers nous et qu'a passaient juste au-d'ssus. Aque un certain angle, on peut les voir. Qu'on dirait des puta d'abeilles qua filent vers toi, des abeilles d'l'Enfer. Et tu veux savoir comment qu'on est sortis d'ce puta d'rue ?

– Pas particulièrement, dit Mary Cary, et je ne...

Mais Ziggefoos, ses yeux rapprochés en flammes, couvrit sa phrase :

– Cette s'pèce de p'tit bout d'acier là – il bougea pour poser sa main sur l'épaule de Flory. (Sur le moniteur qui cadrait Flory, Irv pouvait voir ses yeux de vache qui clignaient sans arrêt.) Quat'vingts kilos sans l'slip, peut-êt', mais c'est d'l'acier, Mayrry Kayrry, et ski faut, y l'a, là. (Il frappa sa poitrine avec son poing, juste sur son cœur.) Flory, y nous avait d'jà vus tomber tous les deux, et le vl'à qui sort dans c'te puta d'rue, y court, y rampe, y passe et y nous prend tous les deux par une botte – ouais, une botte – et y commence à nous tirer vers l'périmèt'. Y'a du schrapnel qui l'touche à l'vant-bras gauche, au rein droit et dans l'cou – dans l'cou ! – et une balle y passe dans les côtes et y en casse deux, et c'te bout d'acier là – il secouait l'épaule de Flory avec sa main – y stoppe même pas ! Y continue à nous traîner, juska ski nous aye ram'nés dans l'périmèt' – et tu veux savoir si j'ai jamais été au feu ? Bordayl de puta d'Dieu, Mayrry Kayrry !

– Non, dit Mary Cary, ce que je veux savoir c'est...

Mais aucun mot au monde, maintenant, ne pouvait arrêter Ziggy Ziggefoos le Juste.

– On est restés piégés dans c't'embuscad' pendant quatorze heures, Mayrry Kayrry, et on avait pas d'médecin, pas d'morphine, pas rien. Peu à peu vl'à la nuit, y fait noir, et les traçantes flashent, j'veux dire qu'tu peux les voir flasher d'puis les arb', de derrière les termitières, de partout où qu'tu r'gardes. Et les gr'nades – c'tait une embuscad' qua finissait jamais. Y'a l'QG qu'envoie les Forces d'action rapide, les z'envoient d'puis l'aéroport pour nous couvrir, mais y tombent dans une aut' embuscad', près du cercle K 4. Et tu parlais des Nachions unies, hein ? Puta d'plaisanterie ! Y z'essayent qu'les Pakistanais et les Malaisiens y bougent aque des véhicul' blindés et on s'aperçoit que ces bâtards d'meeerde y s'chient d'ssus d'trouille et y veulent pas bouger avant minuit, et la seul'raison qua les z'a fait bouger c'est qu'un d'nos officiers l'a collé la gueule d'un 357 Magnum sur la tête d'un d'leurs colonels et qui l'y a dit, il lui a dit : « Tu vas aller droit sur l'Olympic Hotel avec tes véhicul'blindés, sinon t'es plus rien qu'un enculay d'ta mère tout crevé. » Excuse-moi, Mayrry Kayrry.

– Okay, dit Mary Cary, supposons, pour clore cet aparté, que vous ayez bien été au...

Pas un mot de sa phrase n'atteignit Ziggefoos, qui continuait à la paralyser avec ses yeux étincelants, elle et la caméra et le moniteur dans le compartiment caché.

– Comme j'te disais, on était quarant' dans not'unité et vingt-huit qu'étaient blessés et sept qu'avaient été explosés, butés. Un d'nos gars l'avait été éclaté déhors dans la rue, et paski l'avait pas eu un Jimmy Lowe, paski l'avait pas eu un Flory pour r'squer sa puta d'vie pour l'traîner dans l'périmèt', les Somalis y l'ont eu avant qu'on l'récupère et ces puta d'animaux – excuse-moi, Mayrry Kayrry – y z'y ont arraché son puta d'uniforme et y l'ont traîné dans les rues d'Mogadiscio aque des cordes attachées à ses poignets, en riant et en gueulant comm' des hyènes, en souriant comm' des hyènes aque leurs dents dég'linant d'sang paski z'avaient buté un Américain. Et tu viens là et tu m'd'mandes si j'ai d'jà été au feu ? Excuse-moi, Mayrry Kayrry, mais t'es qu'un sac à meeerde !

– Voilà qui est parlé en vrai militaire, dit Mary Cary avec un sarcasme glacé.

L'insulte avait ravivé sa colère, affûté à nouveau son tranchant. Le cœur d'Irv semblait s'éloigner en jouant du tambour tandis qu'il observait tout cela sur les moniteurs.

– Alors, dit Mary Cary, maintenant que tu as sorti tout ça de ton système, peut-être pourrais-tu être assez gentil pour me dire ce que tout ceci a à voir avec le meurtre de Randy Valentine.

– O.K., fit Ziggefoos, c't'exac'tment aske j'voulais t'dire. Êt' dans une unité militaire, c'est êt' un homme et c'que l'unité arrête pas d'te dire c'est : Voilà l'test pour un homme. Un homme court pas, s'cavale pas. Un homme r'sque sa puta d'vie... pour son unité ! Ouais, chuis d'accord qui la r'sque pour son pays, pour l'drapeau et les gens au pays et tout, mais si qu'tu causes avec n'importe quel mec qu'a été au feu, le vrai feu sur l'terrain, et qu'il est honnête, y va t'dire c'que j'te dis : tu r'sques ta puta d'vie pour l'unité, et l'unité a l'enfonce tout'l'temps l'même clou : sois un homme. Elle te dit pas : sois un homme bien, et sûr qu'a te dit pas sois une femme bien, puta d'bordayl. J'veux dire, tu commences à mette des femmes au combat, et j'peux t'dire kekchose aussi sûr qu'le soleil y s'lève tous les matins : tu peux oublier qu't'as des vraies unités combattantes. Paske l'unité a qu'une chose à t'dire : Sois un homme. Même chose pour les homosayckschuels. 'Xact'ment la même chose. T'essayes d'mette des homosayckschuels dans une unité d'combat ? Tu peux l'oublier. L'unité peut plus dire : sois un homme – avec tout l'respect qu'j'dois –, paske l'genre d'mec qui faut qu't'aies, y va pas rester tranquille aque ça, et que tu peux attend' deux mille ans et essayer d'l'éclairer sur ça, et y va quand même pas s't'nir tranquille. Maint'nant vous pouvez ap'ler ça des préjugés, si vous voulez, et p'têt qu'c'en est, mais aske ça change pas les faits d'la vie du tout. Vous, les gens d'la télay, vous f'riez mieux d'dire à l'Amérique qu'a f'rait mieux d'veiller sur ses Jimmy Lowes et ses Florys, paske quand ça va chier, a va en avoir b'soin, et la meeerde a finit toujours par pleuvoir un jour ou l'aut' et aske vous allez avoir b'soin d'kékun – vous les gens d'la télay aussi – z'allez avoir b'soin d'kékun pour faire vos guerres, et ces kékuns s'ront et ont t'jours été vos Jimmy Lowes et vos Florys.

Bien avant qu'il puisse commencer à analyser ce qu'il venait d'entendre, une *alerte rouge* s'était déclenchée dans la tête d'Irv. Ce môme, ce Ziggefoos, était une résurgence de *Tobacco Road*, un natif archaïque, un vrai primitif du grand Sud, un redneck de Floride – un *skinhead* –, mais quelque part il s'était débrouillé pour devenir... éloquent... et pour avoir l'air... sincère... un jeune combattant américain sincère et éloquent sorti du cœur rural de l'Amérique, qui avait risqué sa vie au service de son pays et avait été grièvement blessé au « puta d'feu » dans les rues de Mogadiscio, en Somalie... Irv n'avait jamais entendu aucun Américain des années quatre-vingt-dix manger si complètement sa propre langue, mais son sens pratique lui disait que ça *passerait très bien à l'écran*... Pour beaucoup trop de gens, il serait absolument convaincant... Il ne clignait pas nerveusement des yeux comme Jimmy Lowe et Flory. Il n'était ni hystérique, ni

100

défensif, ni évasif. Il regardait Mary Cary droit dans les prunelles et il parlait sincèrement, du fond du cœur, à supposer qu'un skinhead comme lui en ait un... Non, il s'en sortait beaucoup trop bien. Il y avait forcément quelque chose à faire au montage...

Apparemment, Mary Cary avait dû ressentir la même chose.

– Tout ça, c'est très bien, dit-elle, mais est-ce que tu appelles agresser un soldat *gay* être un homme?

– Nannnnn, j'appel'rai pas ça êt' un homme, dit Ziggefoos, et personne d'aut' que j'connais non plus, mais on n'a pas b'soin d'vous pour nous l'dire. Ch'sais qu't'es très z'au courant. Tous ceux qu'on voit à la télay y sont très z'au courant d'ces choses. Mais j'me d'mande comment qu'vous vivez vos puta d'vies? Combien qu'vous voulez d'vos prop'z'enfants qui d'viennent homosayck-schuels? Combien d'homosayckschuels qu'vous voulez qui travaillent aque vous? Ça vous fait rien d'le dire à l'Armée US, ça vous fait rien d'le dire à une unité combattante, où l'boulot d'un mec c'est d'r'squer sa puta d'vie, ça vous fait rien d'nous dire d'mette en péril la total'té d'l'unité, quand y s'agit d'vie ou d'mort, mais quand y s'agit d'vous – quand c'est rien qu'vot' prop' confort et d'vot' paix d'l'esprit?

Oh, le fils de pute! Il retournait tout le truc! Il mâchouillait la langue anglaise jusqu'à la rendre méconnaissable, mais il arrivait à transformer toute l'histoire en une attaque contre la soi-disant élite médiatique ! C'était un cliché et c'était absurde, mais il parvenait à le faire.

– Tu oublies une chose, fit Mary Cary en claquant ses doigts. Personne dans l'industrie de la télé, personne que je connaisse, ne va aller assassiner ses collègues simplement parce que leur orientation sexuelle est différente.

C'était une bonne réplique, faite face à la gueule du canon, mais elle avait quelque chose de geignard et de raisonneur. L'esprit d'Irv tournait à toute vitesse ; toute cette dernière partie, la dissertation skinhead sur l'élite médiatique, devait partir au chutier. Cela ne serait en aucune manière diffusé à l'écran. La dissertation sur l'unité combattante et sur le Bloody Sunday – presque tout cela devrait sauter aussi. Ziggefoos avait transformé ces deux tueurs skinheads, ce Jimmy Lowe et ce Flory, en de véritables héros, et cette espèce d'accent de cowboy de l'an 2000 serait la goutte d'eau qui... Bien sûr, il ne pouvait pas tout couper, mais – ahhhh ! Il avait une idée. Il laisserait ce fils de pute parler, mais il ne le cadrerait pas. Il allait se servir des caméras qui étaient sur Jimmy Lowe et Flory. On allait entendre la voix de Ziggefoos, mais on allait voir les deux autres, avec la bouche ouverte, l'air alarmé, clignant des yeux... clignant sans cesse... Que de clignements ! À l'écran, les gros plans sur des gens qui clignaient des paupières étaient particulièrement dévastateurs. Ces battements de cils répétés ressemblaient à d'incontrôlables aveux de culpabilité. De plus, Jimmy Lowe avait l'air d'une brute. Si *moi*, Irv Durtscher, je gardais le cadre sur le visage d'animal de Jimmy Lowe, clignant des yeux d'un air coupable pendant que Ziggefoos parlait, personne ne prêterait vraiment attention aux arguments de Ziggefoos. Il pourrait se servir des clignements de Flory aussi. Flory avait l'air de l'habituel mouton du gang, soucieux d'obéir au moindre désir des petits malins de la bande. Ah ! et il avait une autre idée ! Chaque fois que Ziggefoos utilisait une expression grossière, chaque fois qu'il disait meeerde ou autre chose dans le genre, il y substituerait un *bip*. Cela le ferait paraître encore plus cru. Oh oui, il pouvait lui régler son compte à ce môme, avec ses théories merdiques sur la virilité et l'unité combattante, et la vie et la mort. *Puta d'mort – yeeeeeh...*

– Peut-êt' pas, dit Ziggefoos. Peut-êt' qu'vous vous butez pas ent'vous, mais asque vous faites kekchose d'aut'. Vous insayminez des trucs sur l'style d'vie des pèdes qu'vous croyez mêm' pas vous-mêm', et qu'personne y croit non plus, et vous chauffez tout l'monde, et des gens qui nat'rel'ment y sont agacés par les homosayck-schuels, des gens qui savent puta d'bien qu'ça va pas marcher d'les mette dans une unité combat-

103

tante, y vont s'faire entraîner à faire des trucs qu'y feraient pas si vous, vous leur disiez la vraye vérité.

– Très bien, dit Mary Cary, admettons que ce soit vrai. Est-ce que tu prétends que c'est pour ça que vous avez agressé Randy Valentine tous les trois ?

– J'ai rien dit com'ça, dit Ziggefoos.

– Mais si ! fit Mary Cary en montrant l'écran du téléviseur. Vous étiez là ! Vous l'avez dit avec vos propres mots ! Jimmy l'a dit tout haut. Il a dit qu'il avait enfoncé la porte. La porte a écrasé Randy Valentine contre le mur. Et puis il l'a *chopé*.

Brave fille ! Bien joué, Mary Cary ! Elle revenait à la confession sur la bande.

– T'as tout faux, dit Jimmy Lowe avec un geste comme pour écarter l'écran du téléviseur.

Il se leva et lui tourna d'ailleurs le dos, comme pour partir.

– Asque c'est vray, dit Flory en faisant la même chose. T'as tout faux.

– Mais ce sont vos phrases, dit Mary Cary, de vos propres bouches.

– Ouais, mais v'zavez monté tout ça, dit Jimmy Lowe.

C'était magnifique. Il n'avait même pas regardé Mary Cary en disant ça. Ses mots étaient sortis faiblement, à peine un murmure. Pour la télévision, c'était aussi bon qu'une confession totale. La retraite, la moue, le refus de regarder l'accusatrice

104

dans les yeux, les murmures. Il y avait « culpabilité » écrit partout, et depuis pas mal de temps, tous les téléspectateurs connaissaient ce langage-là.

Même Ziggefoos s'était levé. Ils avaient l'air de chiens battus. Ils se dirigeaient vers la porte du VR.

Ziggefoos regarda Mary Cary et dit :

– S'tu crois qu'on va rester assis et causer à Day & Night d'toute c'te meeeerde, tu t'la fourres profond.

D'abord, Irv ne parvint pas à se figurer de quoi il parlait. Puis ça lui sauta aux yeux. Ils ne se doutaient même pas que l'embuscade avait été filmée ! Ils n'auraient jamais pu imaginer que quatre caméras cachées étaient braquées sur eux depuis qu'ils étaient entrés dans le VR ! Ils devaient penser que c'était une sorte de pré-interview ! Ils ne savaient pas que c'était vraiment une embuscade !

Oh, que c'était beau ! Il avait rêvé que tout cela pourrait marcher, et ça allait marcher.

– Néanmoins, dit Mary Cary, nous aimerions vous donner une chance de répondre.

Jimmy Lowe, qui était à la porte, pivota sur lui-même.

– Moi, j'aim'rais réponde à celle qui nous z'a am'nés ici. Où qu'elle est ? C'est à elle qu'j'aim'rais réponde. Ch'savais pas qu'vous maquiez da putes pour faire vot' sale boulot.

Maquiez da putes ? Irv mit un certain temps à comprendre. Il aurait bien aimé utiliser cette expression – même si se référer à Lola en tant que putain était un peu trop près de la vérité – parce que Jimmy Lowe avait l'air si menaçant en le disant. Et supposons qu'il devienne violent ? Qu'il attaque Mary Cary ? (*Qu'il attaque Irv Durtscher !*) Était-il allé trop loin en utilisant une danseuse topless pour s'assurer que les trois skinheads regarderaient la bande qui les incriminait ? Eh bien, le montage allait tout résoudre. *Est-ce que Gordon, Roy et Ferretti pourraient les arrêter, si on en arrivait là ? Ils étaient balèzes, mais ces trois skinheads étaient... des Rangers !*

Irv était tassé dans son compartiment secret, avec ses écouteurs, les yeux scotchés aux moniteurs, son monde éclairé seulement par leur lueur cathodique sans vie, son esprit galopant furieusement sur deux pistes à la fois... Irv Durtscher, menant la croisade contre... le fascisme... en Amérique... et Irv Durtscher possesseur de cette seule et unique peau, que Dieu n'avait pas conçue pour affronter les jeunes seigneurs de la testostérone qu'il venait de voir sur ces écrans.

À son grand soulagement, il vit sur les moniteurs que les trois *boys* franchissaient la porte un par un et quittaient le VR. Il vit Ferretti fermer la porte derrière eux et la verrouiller. Puis il vit Ferretti rire silencieusement et regarder Mary Cary. Il vit Mary Cary pousser un grand soupir et secouer la tête comme si elle était très déçue. Puis il entendit Ferretti, souriant et gloussant, dire :

– Si tu crois qu'on va rester assis et causer à Day & Night sur toute sta meeerde...

Et pourtant Irv Durtscher n'ôta pas ses écouteurs. Il ne quitta pas son compartiment secret pour les rejoindre dans le living-room du VR. *Suppose qu'ils reviennent ! Suppose qu'ils attaquent le VR !*

Mais alors, sur le moniteur, il vit Mary Cary qui revenait vers la cloison. *Il ne faut pas les...*

Il ôta très vite ses écouteurs et passa la porte cachée. Il se retrouva nez à nez avec elle, haletante, des éclairs dans les yeux, elle avait l'air vraiment furieux.

– Mary Cary ! fit Irv. C'était grand ! Tu as été fabuleuse !

– Oh, j'ai tout foiré, Irv, dit Mary Cary. J'les ai perdus. J'pouvais pas les garder où je voulais. Et je les *tenais* ! Ils étaient finalement arrivés là où on les voulait ! Ils étaient sur la défensive ! Ils s'énervaient !

Il la contempla. Il n'arrivait pas à le croire.

– Je ne vois pas de quoi tu t'inquiètes, dit-il, on a tout ce dont on avait besoin.

– Ce n'est pas vrai.

– Et en plus, le grand, Lowe, il s'échauffait pas mal. J'avais un peu peur. On ne sait jamais ce qu'un type comme ça peut faire.

– Oh, s'il te plaît, dit Mary Cary, ces mômes ne savaient pas s'il fallait chanter l'hymne national ou le pisser !

– Mais quand même.

Irv s'interrompit et étudia le visage de bombe blonde de Mary Cary. Elle était authentiquement fâchée. Elle était sincère. Elle voulait vraiment rester là et se taper tout ça.

– Je comprends ce que tu ressens, dit-il finalement, mais ne t'inquiète donc pas. Tu as été géniale.

En fait, il ne savait pas ce qu'elle ressentait. Il n'aurait même pas pu l'imaginer. Sa peau, ce vaisseau mortel qui renfermait Irv Durtscher, le Rousseau du Rayon Cathodique, lui criait : Dieu merci, c'est terminé ! Mais est-ce bien terminé ? Garde une oreille en alerte, on ne sait jamais, ils pourraient revenir. Rangez le matériel et démarrez le VR. On se taille d'ici – hors de cet Enfer ! – loin de Bragg Boulevard ! Retournons à la civilisation ! Aux Lumières ! – À New York !

QUATRIÈME PARTIE

Coupables ! Coupables ! Coupables !

C'était New York, et pour de bon. Walter O. Snackerman, le président de la chaîne, PDG et prédateur en chef, vivait dans un de ces appartements de trois étages sur la Cinquième Avenue à la hauteur de la 60e Rue dont on a du mal à croire qu'ils existent, à moins d'y pénétrer réellement, comme Irv ce soir-là. Le building de douze étages avait été construit en 1916 pour faire compétition aux luxueux hôtels particuliers qui s'alignaient sur la Cinquième, si bien que chaque appartement était, effectivement, un luxueux hôtel particulier ostentatoire avec un énorme hall d'entrée, d'immenses escaliers tournants, de très vastes pièces, une vue sur Central Park, des murs de quarante centimètres d'épaisseur et une légion de portiers, de porteurs et de liftiers vêtus comme les figurants d'une opérette de Gilbert et Sullivan.

La bibliothèque, où le grand Snackerman avait rassemblé ses hôtes, était trois fois plus grande que le living-room d'Irv, ou du moins que son living-room actuel, étant donné qu'il devait désormais raquer pour l'appartement de son ex-femme Laurie et pour le sien propre. Cette pièce, cette bibliothèque, avait plus de divans de cuir, de larges banquettes de peau, plus de bergères antiques et de fauteuils qu'Irv n'avait de meubles dans tout son appartement. Les stars rassemblées avaient niché leurs fans les plus éminents un peu partout dans une débauche de coussins, avec, bien évidemment, Mary Cary – *Mérry Kérry Brokenbérrouh* – assise à la droite de Son Omnipotence Snackerman. Un projecteur vidéo accroché au plafond balançait Day & Night sur un écran télé Sony d'un mètre sur deux qui était descendu d'une fente au plafond avec un bruissement – oh, si doux et luxueux – quelques minutes auparavant...

Irv, vêtu d'un blazer bleu informe et portant nœud papillon baptisé Pizza Grenade, qui ressemblait à une pizza poivrons-olives explosée sur le devant de sa chemise, était assis sur le côté, à la droite de Cale Bigger. Lors d'une réunion ordinaire de la chaîne, cela aurait été considéré comme une place de choix. Mais ce soir, le grand Cale n'était qu'un intermittent, le chef du département de l'information et un lèche-bottes aussi éhonté qu'un idiot aphasique. La plupart des sièges étaient occupés par les collègues-titans de Snackerman, et par de Grands Noms, comme Martin Adder, le partenaire influent de la firme d'avocats

Crotalus, Adder, Cobran & Krate; l'acteur de cinéma Robin Swarm; Rusty Mumford, le cinglé de quarante ans, milliardaire du numérique, fondateur d'« IntegreNet »; le subtil sénateur Marsh McInnes; plus leurs épouses. Le mari de Mary Cary, Hugh Siebert, le chirurgien des yeux, était assis sur le côté près de la trop mûre seconde femme du sénateur. Le bon docteur Siebert était une nullité triste à larges mâchoires. Grand et beau, d'un certain point de vue, se disait Irv, avec une masse de cheveux gris acier. Il devait passer au moins deux heures chaque matin à les brosser. Mais c'était une nullité, un gros et sombre zéro. Pendant le dîner, préparé et servi par le propre personnel de Snackerman, pas moins de cinq personnes – Siebert était assis entre l'actuelle Mme Martin Adder, et la dernière girl-friend d'à peine vingt ans de Robin Swarm, Jennifer Love-Robin, ou quelque chose comme ça – lui avaient adressé la parole et il n'avait pas dit un mot. Quelle nullité, quel zéro, quelle cinquième roue Mary Cary avait épousé... Quel pisse-froid... Et pourquoi ce bloc de bois voulait-il vivre dans une ville aussi électrique que New York?

Irv se demandait s'il aurait été invité si son nom n'avait pas été si souvent cité dans la presse et sur les écrans au cours des trente-six dernières heures; pas autant que Mary Cary, naturellement, mais pas mal quand même. Les petites elfes-attachées de presse de la chaîne avaient commencé à organiser des projections en avant-première et à faire circuler des transcriptions, et le procureur du district est de Caroline du Nord, et l'attorney général de Caroline du Nord, et le juge-avocat de l'Armée des États-Unis et le shérif de Cumberland County, où le DMZ était situé, étaient tiraillés entre le fait que Day & Night – Irv Durtscher, producteur – avait violé toutes les lois possibles et imaginables en truffant le DMZ de caméras et de micros cachés – et celui qu'ils avaient coincé trois meurtriers dans une affaire à scandale.

Snackerman avait organisé ce dîner et cette projection en direct de Day & Night. L'histoire du coup de Day & Night avait été reprise par tous les journaux télévisés. C'était trop énorme pour que les chaînes rivales l'ignorent. Elle avait fait la une du *New York Times* le matin même. Oh, quelle vague, quel ouragan de publicité ! Day & Night occupait maintenant les écrans de pas moins de cinquante, peut-être cent millions d'âmes, y compris celui de Walter O. Snackerman, le requin, et de ses amis de la haute.

Sur l'immense écran Sony de Snackerman, on voyait Mary Cary, avec sa veste de chez Tiffany's en cachemire bleu et un pull à col roulé blanc crème, un jersey qui couvrait les rides de son cou, assise derrière une de ces espèces de pupitres futuristes qui servent à présenter les nouvelles, attaquant le cœur du sujet :

« Pendant trois mois, l'Armée a insisté sur le fait qu'on ne pouvait établir aucun lien entre le personnel militaire et le meurtre brutal de Randy Valentine, un jeune soldat au palmarès sans tache, membre de l'unité d'élite des Rangers, qui en fait était *gay*. Nous avons trouvé plus qu'un lien. En écoutant tout simplement les vagues rumeurs circulant parmi les conscrits, nous avons localisé trois des compagnons de caserne de Randy Valentine – et vous allez les voir et les entendre décrire avec des détails terribles, devant nos caméras cachées, la manière dont ils ont commis cet assassinat insensé, et pourquoi : simplement parce que l'orientation sexuelle de Randy Valentine était... différente de la leur. »

Pour l'instant, sur l'écran, le visage autoritaire de la bombe blonde frémissait d'émotion. Ses épaisses lèvres s'entrouvrirent et elle inspira un filet d'air, avant de se pencher vers la caméra et de laisser ses yeux bleus s'enflammer.

« Nous essayons toujours d'éviter de nous impliquer personnellement, mais je pense que personne travaillant pour Day & Night, y compris moi-même, n'a jamais plongé si directement dans la gorge sanglante... de la cruauté gratuite. »

C'était de la dynamite. Irv jeta un coup d'œil vers Snackerman et remarqua l'expression de léger vertige sur le visage ridé du nabab, sous le dôme de ses cheveux bizarrement coupés ras, tel que le révélaient la lumière tamisée de la pièce et la lueur de l'écran géant. Il se pencha vers Mary Cary et essaya d'attirer son regard, mais celle-ci continua à fixer l'écran, réticente à l'idée de rater ne serait-ce qu'une milliseconde de cette décoction égocentrique de Mérry Kérry Brokenbérrouh. Son épaisse chevelure blonde avait subi un impeccable brushing et était ramenée en arrière. Elle portait un ensemble très classique, visiblement très cher, du genre Chanel (Irv ne connaissait aucun nom de couturier plus récent), mais avec un chemisier de soie crème ouvert assez bas pour laisser entrevoir un soupçon des vigoureux seins Brokenbérrouh et une jupe remontée assez haut pour étaler juste assez des jambes Brokenbérrouh gainées de bas sombres et brillants, mais transparents, et les croiser et les décroiser sous les yeux de Sa Gourmandise le président Walter O. Snackerman.

Sur l'écran, l'arrière-plan de cette bombe blonde consistait en un panneau fait pour ressembler à un gigantesque magazine ouvert avec une photo sur la page de gauche – les trois skinheads souriants, Jimmy Lowe, Ziggy et Flory (extraits des bandes du VR) – et sur la droite, quelque chose qui ressemblait à un article imprimé, surmonté dans le coin en haut à droite par les mots : IRV DURTSCHER, PRODUCTEUR et, en dessous, en lettres légèrement plus petites : Anthony Ferretti, producteur exécutif. Naturellement, personne dans

116

toute l'Amérique – en dehors d'Irv Durtscher et d'Anthony Ferretti, et surtout pas Walter O. Snackerman – ne remarquerait jamais ces noms, et Mérry Kérry Brokenbérrouh n'allait pas avouer à Snackerman, ni à qui que ce soit, que chaque mot qu'elle venait d'articuler, ainsi que le ton de sa voix, et les reflets brûlants de ses yeux bleus avaient été mis en scène pour elle par Irv Durtscher.

Maintenant, il y a un long plan de Fort Bragg, et quelques plans courts de bâtiments, de champs de manœuvres, d'obstacles d'entraînement, de baraquements et de groupes de soldats en permission dans le Cross Creek Mall, tandis que la voix de Mary Cary explique qu'à Fort Bragg se trouve le commandement central des troupes d'élite de l'Armée, les forces d'Opérations Spéciales, les commandos – le meilleur de l'Armée, en gros – et que le *meilleur du meilleur* de l'armée était un jeune homme nommé Randy Valentine.

Suivent quelques images fixes, le genre de photos qu'on trouve dans les albums de famille, des photos souriantes du Patriote Modèle Randy Valentine peu après la signature de son engagement, et du Fils Modèle Randy Valentine avec ses parents à Massilon, Ohio, et de l'Étudiant Modèle Randy Valentine dans l'album de son collège, et puis deux photos souriantes du Ranger Modèle Randy Valentine à Fort Bragg. En quoi il était toujours le meilleur, ça, on ne le disait pas, puisque Ferretti, qui avait pourtant creusé en profondeur, n'avait pas trouvé grand-chose sur ce point. Mais l'effet était tout de même très convaincant.

Soudain, l'image choc : le beau et juvénile visage de Randy Valentine remplacé par un gros plan du même visage à la morgue, battu, tailladé, tuméfié, enfoncé d'un côté, un visage qui n'avait plus rien d'humain. Puis une photo prise par le bureau du shérif de Cumberland County : le corps du jeune homme baignant dans une mare de sang sur le sol des toilettes pour hommes d'une boîte de Bragg Boulevard, tel que la police l'avait trouvé – comme l'expliquait la voix de Mary Cary – en cette nuit tragique.

Puis le visage rocailleux du général Huddlestone clignant des yeux nerveusement (lire : il n'est pas sincère) tandis qu'il nie toute implication d'un de ses hommes dans l'affaire, à la suite d'une enquête approfondie, bla bla bla.

Maintenant on voit quelques plans criards de Bragg Boulevard, tandis que Mary Cary explique que « *nous* avons appris qu'une rumeur circulait dans Fort Bragg, selon laquelle trois soldats ivres avaient battu Randy Valentine à mort parce qu'il était *gay*. Il se trouvait également que ce trio fréquentait une autre boîte, un bar topless appelé le DMZ ».

118

Puis le néon clinquant du DMZ clignote dans la nuit, et on se trouve à l'intérieur, on voit quelques strip-teaseuses fatiguées qui secouent leurs seins et leurs fesses sur le comptoir long comme une piste d'aéroport.

On voit un type d'une quarantaine d'années, pansu, pratiquement chauve mais avec une petite queue de cheval grisonnante qui lui pend sur la nuque. On le voit, mais on ne l'entend pas. Il parle avec une silhouette dont le large dos, couvert d'un blouson Charlotte Hornets Starter, est tourné vers la caméra. On voit également l'arrière de sa casquette vantant une marque de motoculteurs. La voix off de Mary Cary dit : « Nous avons passé un accord avec Mr. Dino Mazzoli, le propriétaire du DMZ, pour qu'il nous loue le club pendant un mois. Mr. Mazzoli continuerait à gérer son établissement exactement comme d'habitude et encaisserait normalement la recette. Tout ce que nous demandions en échange, c'était le libre accès à cet endroit pour " tourner un documentaire " sur la vie à Fort Bragg. »

Puis, tout à coup, l'endroit est vide, hormis deux grands types en polo et blue-jean – Gordon et Roy – qui tournent le dos à la caméra. Gordon est à genoux sur la banquette d'un box et traficote la petite lampe d'ambiance sur la table, et Roy est debout sur un siège de l'autre côté, où il bricole une applique lumineuse sur une colonne de plâtre à la hauteur du dossier de la chaise. En fait, Gordon installe un micro et Roy une caméra dont l'objectif est si petit qu'en le regardant de près on ne voit qu'une paillette de boîte de strip-tease.

Pendant tout ce temps, la voix de Mary Cary raconte : « Comme nous étions désormais les locataires officiels du DMZ, propriétaires des droits d'enregistrement pour les quatre semaines suivantes, nous avons installé nos caméras cachées et nos micros dès que Mr. Mazzoli et ses employés ont fini leur soirée. Nous concentrons nos efforts sur *ce* box précis... car nous savons que c'est le box favori de... *ces trois jeunes soldats*. »

Et la caméra montre trois jeunes hommes en tee-shirt, avec des coupes de cheveux réglementaires, qui sont assis dans le box, deux d'un côté de la table et un de l'autre.

... Ces trois membres de la compagnie de Rangers de Randy Valentine...

D'autres caméras cachées cadrent le trio un par un... et Mary Cary énonce leurs noms comme si elle annonçait le Jugement dernier aux 125, 135, 150 millions d'Américains qui regardent l'émission (les attentes d'Irv subissaient une hausse vertigineuse) : « Ils sourient, mais le train est en marche... James Lowe... Virgil Ziggefoos, Randall Flory... Ils viennent tous les trois du même comté, dans la corne de la Floride », dit Mary Cary, histoire d'expliquer leur accent, qui devient imperceptible parce qu'au mixage leurs voix montent lentement, tandis qu'on shunte la musique country métal à l'arrière-plan.

Puis le visage de Mary Cary revient à l'écran et annonce : « Nous avons passé une nuit, deux nuits, trois nuits, une semaine entière, puis une deuxième semaine à enregistrer leur conversation sans rien entendre d'autre que les propos ordinaires de trois jeunes soldats qui aiment venir dans un bar pour boire de la bière en lorgnant des strip-teaseuses. Mais un soir, le troisième jour de la troisième semaine, se produisit ce que nous attendions. Virgil Ziggefoos aborda dans la conversation le sujet des... droits des *homosexuels*... »

Maintenant on voit le visage de Ziggefoos en gros plan qui finit une phrase avec ces mots : ... *loi d'pèdes*...

Assis dans le palace de Snackerman sur la Cinquième Avenue, Irv se dit que la caméra et la lumière restituaient parfaitement le visage mince de Ziggefoos. Il avait l'air particulièrement décharné, méchant et menaçant. Ce môme était un Dracula version redneck.

« A vous disent j'mais ski z'ont fait pour êt' comme ça », disait ce bougre de skinhead devant 150 – ou était-ce 175 ? – millions d'Américains. « Voyez qu'un aspèce d' *biip* » – Irv avait bipé *enculay,* ce qui rendait le terme bien pire que si on l'avait entendu – « aqu'une barb'd'quat' jours et les joues com' çaaa » – Ziggefoos creuse ses joues et roule ses yeux en arrière – « qua r'semble à Jésus Christ et ki cause qu'du Sida et d'ces lois d'pèdes. »

Une autre caméra cachée cadre Jimmy Lowe en plan américain, ses muscles gonflés et son visage massif et brutal.

– *Biip* dans l'mille, dit Jimmy Lowe.

Et puis Ziggefoos part dans son numéro sur « tous leurs shows d'télay et toute c'te *biip* sur l'style d'vie des *biip*. La pire truc qua vont'montrer c'est deux lesbienn' qua dansent ensemb' ou kèkechose dans l'genr' ». Irv avait coupé la phrase suivante, celle dans laquelle Ziggefoos demandait : « T'as d'jà vu deux tantes qua dansent à la télay, ou qua s'embrassent sur les lèvres ? Couille que nan. Vont pas t'montrer sta meeerde. » C'était trop proche de la vérité. Il l'avait éliminé.

C'était simple. Il avait coupé et collé le plan de l'autre caméra, où Jimmy Lowe disait : « *Biip* dans l'mille, bien jactay, Ziggy. » Pas de problème. Le spectateur n'y verrait que du feu.

Maintenant on voit à nouveau Ziggefoos, et il dit : « Une fois, mon vioque nous z'avait loué une chamb'd'hôtel près d'la jetée à Myrtle Beach, et pil'en face, y'avait c'te pension, ouatruc-dan'l'genr', et su'l'coup d'cinq plombes du mat' – quant'a'l'jour qua s'lève à peine – moi et mon frangin... »

122

À ce moment, la voix de Ziggefoos s'estompe sous le vacarme de la musique country métal qui monte à l'arrière-plan sonore, et la voix de Mary Cary revient par-dessus. On peut voir remuer les lèvres de Ziggefoos et bouger ses mains, mais ce qu'on entend, c'est Mary Cary paraphrasant sa conversation – très vaguement : « Virgil Ziggefoos décrit à ses camarades comment lui et son frère ont vu deux jeunes *gays* s'embrasser sur le toit du building voisin. »

On continue à voir remuer les lèvres de Ziggefoos, mais on n'entend pas ce qu'il dit sur le couple d'homos sur le toit qui « grognent et gémissent », ni sur la manière dont ils étaient « nus comme deux gogos » ni sur l'un d'entre eux qui « enculay l'aut' à mort ». À la place, on entend Mary Cary qui dit : « Les deux enfants étaient perplexes. Et donc... »

Puis la voix de Ziggefoos revient : « Alors on a r'veillé l'vioque, l'a r'gardé par une f'nêt et y dit bondieud'bondieu, les gars, c'est des tantouzes. »

La voix de Ziggefoos est à nouveau submergée par la musique, et on entend Mary Cary déclarer, d'une voix de stentor : « Telle fut la première et inoubliable leçon de Virgil Ziggefoos... enseignée par son propre père... lui apprenant l'horreur... et l'abomination – Mary Cary donnait tant de puissance ironique à l'intonation de ces mots que pas même le cerveau le plus faiblard de toute l'Amé-

rique ne risquait de la louper – de l'amour homosexuel. »

Et maintenant la voix de Ziggefoos revient, et
on l'entend dire : « Et l'vioque, y bout, j'veux dire
a l'est vert d'rage tellement qu' l'est furax, et y
hurle : Hey, vous les tantouzes ! j'va comptay
jusqu'à dix, et si v'ous zaytes pas barrés da ç'toit,
va falloir qua vous pousse da zailes, paskya une
volée d'douze qua va vous pétay au *biip* ! »

Grâce à une autre caméra cachée, on voit
Jimmy Lowe et Flory sourire et approuver cet
appel à la violence contre la promiscuité *gay* et on
entend Mary Cary se livrer à une homélie solennelle : « Telle était la leçon passée de génération
en génération, et la leçon était : Tu ne toléreras
pas l'homosexualité... Tu éradiqueras la vie *gay*, si
tu le peux... Tu useras de violence si nécessaire...
Ces leçons, comme celle donnée dans une
chambre d'hôtel par une aube ténébreuse à Myrtle
Beach, en Caroline du Sud, et sans doute en bien
d'autres endroits durant les années qui suivirent,
ont conduit ces garçons » – et maintenant on voit
les trois jeunes Rangers aux crânes rasés qui sourient et boivent de la bière – « directement,
comme poussés par le destin, jusqu'à l'instant fati-
dique où ils allaient... *massacrer* Randy Valentine
parce qu'il *avait osé*... afficher ses tendances
homosexuelles. »

Tandis qu'il regardait l'écran dans la splendide

bibliothèque de Snackerman, le cœur d'Irv s'accélérait et son esprit s'échauffait. Le point culminant du show allait maintenant commencer. La nation entière allait entendre, de leurs propres bouches, les mots qui incriminaient Jimmy Lowe, Ziggefoos et Flory. Il jeta un coup d'œil vers Snackerman, Cale Bigger et Mary Cary. Leurs visages étaient éclairés par la lueur du grand écran Sony. Ce show allait battre les records d'audience de la décennie, peut-être de tous les temps. Naturellement, Snackerman, Cale Bigger et tous les gens de la chaîne de quelque importance l'avaient déjà visionné. Mais même pour eux, et certainement pour Irv, rien n'égalait la diffusion en direct sur les ondes, rien de tel que de sentir l'ineffable battement de dizaines de millions de systèmes nerveux à travers les États-Unis et le Canada qui entraient en résonance au même moment. Snackerman le Terrible, nul besoin de le préciser, se foutait complètement de la justice sociale, de la violence antihomosexuelle, des qualités artistiques de Day & Night ou des infos en général même si l'existence du département des informations lui permettait de faire son discours sur « Le droit de savoir des citoyens » dans des conventions, des conférences, des meetings, etc., etc., etc. Après tout, le meilleur taux d'audimat de la chaîne, un sitcom intitulé « Ça fume chez maman », ne contribuait pas vraiment à donner au grand homme dignité et profondeur. Mais même un prédateur cynique et avide d'argent comme Snackerman, ce requin, cette machine à avaler des sociétés, ne pouvait résister aux battements tachycardiques noosphériques qui faisaient frémir les os quand on regardait un triomphe pareil à l'instant précis de sa diffusion. Oui, même lui, Snackerman le Grand Requin Blanc, allait, dès le lendemain, regarder d'autres téléspectateurs américains dans les yeux et dire : « Vous avez regardé Day & Night hier soir ? » et « Tu te souviens du moment où... » Oh, on pouvait parler tant qu'on voulait du câble et de l'internet et de toutes ces choses censées supplanter le réseau hertzien, mais Irv savait, même si d'autres l'ignoraient, que le réseau avait une magie unique, la magie de milliards de ventricules battant à l'unisson... poussés au bord de la tachycardie par le talent des grands producteurs de cette nouvelle forme d'art, comme Irv Durtscher. Justement, Sa Grande Béatitude Snackerman se penchait lourdement vers Mary Cary, comme s'il venait de se rendre compte que la magie de cette conscience tribale jungienne avait été créée par *elle*.... Mais si toute l'affaire se terminait devant un tribunal, comme Irv priait que cela se produise, même Snackerman la Brute Chauve verrait enfin la vérité.

Et voilà que, sur l'écran, Jimmy Lowe se plante au cœur malfaisant de toute l'affaire. « Dès qu'j'suis entré là'd'dans et qu'j'ai maté sous c'te porte d'chiottes et qu'j'ai vu les g'noux d'ce mec su'l planchay, et qu'j'ai entendu ces deux mecs qui f'zaient " Nnnnnnnh, nnnnnnnnh, nnnnnnnnh ". J'veux dire, j'savais exact'ment aske c'était. Et quand j'ai marché juskaux chiottes sur l'pointe des pieds et qu'j'ai 'r'gardé par-d'ssus la porte et qu'j'ai vu qu'c'était un mec d'ma bondieu-d'compagnie... »

Et la voix de Jimmy Lowe disparaissait sous le martèlement de country métal du DMZ, et la voix off de Mary Cary s'éleva, et une fois de plus elle paraphrasa, exactement comme Irv l'avait écrit :

« C'était maintenant Jimmy Lowe qui était témoin, par une indiscrétion volontaire, d'une manifestation de tendresse homosexuelle. Randy Valentine était dans ces toilettes verrouillées, et embrassait un autre homme – ils s'étaient réfugiés là à cause des sanctions publiques et militaires qui sont bien plus sévères pour les gestes amoureux entre personnes du même sexe. »

Tandis qu'elle parlait, on pouvait voir les lèvres de Jimmy Lowe qui bougeaient, mais on ne pouvait pas l'entendre décrire Randy Valentine : « À g'noux, puta d'merde, en train d'tailler une queue à un aut' par un trou dans la cloison. » Et la voix de Mary Cary disparaît alors et celle de Jimmy Lowe s'élève à nouveau, quand il dit : « J'veudir', j'ai vu une aspèce d'fente, et c'tait quand j'ai défoncé la puta d'porte. Pété l'ptit verrou, d'a coup de pied. – Y'a kék'un qua dû s'dm'ander ski l'a cogné, *biip*, dit Ziggefoos. – C'te bon Dieu ad'porte l'a cogné, j'm'rappelle, dit Jimmy Lowe. C' *biip*, l'était aplati cont'le mur quand j'lai chopé. »

Ce que Flory et Jimmy Lowe avaient vraiment dit ensuite avait posé un problème à Irv. Flory avait dit : « Et t'as jamais vu l'aut'mec ? » et Jimmy Lowe avait répondu : « Jamais vu l'aut' mec. J'pense qu's'est tiré comme un pet, paske quand v'z'êtes tous entray, v'zavez vu personne sortir sa pine. » La notion d'une « bistouquette » filant par un trou dans une cloison entre deux toilettes était de celles qu'Irv était déterminé à ne pas laisser passer à l'écran.

Les caméras multiples l'avaient sauvé. Irv était passé sur Flory, mais juste pour les trois derniers mots de sa question : « L'aut'mec ? » – comme si c'était une sorte d'ellipse. Puis il était repassé sur Jimmy Lowe : « S'est tiré comme un pet. »

Puis Irv était revenu à la caméra sur Flory disant : « Vray. »

Le visage de Mary Cary la Bombe remplit maintenant l'écran. Elle est assise derrière son pupitre futuriste à New York, les coudes posés sur le dessus et les bras croisés devant elle. L'expression de Sa Blondeur Solennelle fait passer un message : C.Q.F.D. Et voilà.

Puis elle dit, avec la sincérité que seul un présentateur vraiment doué peut exprimer : « Comme vous venez de le voir... indiscutablement, ces trois jeunes gens, ces trois soldats de l'Armée des États-Unis, ces trois membres d'un corps d'élite, les Rangers, ont révélé le mobile du crime qu'ils ont commis : l'homophobie pure et simple. Ils ont révélé que le meurtre a commencé par une agression non provoquée, aveugle. Et ils ont révélé qu'il existe un témoin non encore identifié qui se trouvait avec Randy Valentine quand le massacre a commencé... »

À nouveau, Mary Cary fixe la caméra silencieusement. Une autre éternité semble passer. Ses yeux bleus étincellent comme jamais auparavant. Puis elle dit :

« Nous appelons ce jeune homme... à se manifester, à se faire connaître. Nous demandons à toute personne qui connaîtrait son identité de se manifester. Ce crime est trop monstrueux... pour que quiconque interdise à la vérité d'éclater... dans cette affaire. »

Et, tout d'un coup, on revient au DMZ avec Jimmy Lowe, Ziggefoos et Flory et ils sourient toujours et ils boivent toujours de la bière et ils gloussent en lorgnant vers ce que le téléspectateur s'imagine être le comptoir et les danseuses topless, comme si rien ne s'était passé, comme s'ils n'avaient pas à s'inquiéter le moins du monde. La même vieille musique country métal résonne, puis s'estompe. Et on entend alors la voix de Mary Cary :

« James Lowe, Virgil Ziggefoos et Randall Flory avaient été très clairs, avec leurs propres mots captés par nos micros et nos caméras, sur les circonstances précises du meurtre de Randy Valentine. Mais nous, à Day & Night, nous étions déterminés à les laisser répondre... avec leurs propres mots... Quelles que soient les preuves apparentes, nous avons pensé qu'il était de notre devoir de les laisser dire ce qu'ils avaient à dire. Mais là, nous avions un problème. Nous pressentions qu'il serait inutile d'essayer de les approcher par les canaux réguliers de l'Armée. Comme vous l'avez vu, le général Huddlestone lui-même » – et maintenant le visage de granite du général Huddlestone apparaît sur l'écran, remuant les lèvres, mais on n'entend que Mary Cary – « a fait clairement comprendre qu'il voulait enterrer ce dossier une bonne fois pour toutes, et je ne pense pas qu'*enterrer* soit un mot trop fort. Alors nous avons choisi une approche beaucoup moins orthodoxe. Nous avons eu recours aux services de... »

Et soudain on voit Lola : « Cette femme... Son nom de scène est Lola Thong et elle est la danseuse vedette de ce club sur Bragg Boulevard... »

La caméra recule et on voit le bâtiment et l'enseigne au-dessus, épelant en énormes lettres

130

imitation boomerang, pleines d'ampoules éteintes et soulignées de néons éteints sur un ciel vide : KLUB KABOOM... « pas loin du DMZ ».

Maintenant, c'est un plan moyen de Lola, qui traverse le parking du Klub Kaboom et se dirige vers sa voiture. Pendant qu'elle marche, on en prend plein les yeux de son ravissant visage eurasien, avec ses grands yeux noirs et sa masse de cheveux noirs et ses longues jambes minces et, surtout, sa prodigieuse poitrine, qui semble prête à faire éclater la minuscule robe qui cherche à la contenir.

« C'était la personne dont nous avions besoin, pressés par le temps, celle dont l'invitation... pourrait convaincre ces trois soldats de visionner leurs propres aveux enregistrés. Cette nuit-là, nous avons envoyé Lola Thong au DMZ... pour leur faire une proposition. Comme vous le verrez, ce n'était pas une proposition entièrement candide, mais il nous a semblé qu'étant donné les circonstances, c'était justifié... »

Sur l'écran on voit maintenant Lola qui se présente devant le box. On assiste à l'échange de paroles et à l'invitation lancée à Lola de se joindre à eux et on voit les yeux des Rangers qui scrutent chaque centimètre de son corps enserré dans la petite robe noire. Puis Lola arbore son sourire suggestif « Graine de Star » et leur dit : « Vous aimez les viiidéos ? – Quel genr' d'vidéos ? demande

Jimmy Lowe. – Les viidéos part'culières », dit Lola avec un regard polisson grand format, graine de star.

À partir de cet instant, Irv avait laissé toute la conversation rouler, parce qu'elle capturait parfaitement la grossièreté de sangliers en rut des trois jeunes gens et la façon dont Lola secouait ses seins, les aguichait avec ses magnifiques yeux noirs d'eurasienne, les captivait, telle La Mère de Toutes Les Tentations.

Ils glissent tous hors du box et se dirigent vers ce que Lola leur a dit être « mon VR », sur le parking du DMZ.

Soudain, alors qu'il était vautré sur une antique *bergère* dans la vaste bibliothèque de Snackerman, le cœur d'Irv se mit à battre exactement comme il avait frappé sous ses côtes cette nuit-là, quand les trois jeunes tueurs avaient quitté le bar et s'étaient dirigés vers le High Mojave et le voisinage immédiat de sa peau de pauvre mortel.

Maintenant on voit un plan moyen du High Mojave dans le parking, de nuit. « En fait, dit Mary Cary en voix off, le VR dont parlait Lola était ce High Mojave que nous avions loué et préparé pour l'interview cruciale qui allait maintenant avoir lieu. »

De l'intérieur du VR, on voit la poignée de la porte tourner, puis la porte s'ouvrir, et on entend le vacarme de la circulation sur Bragg Boulevard

132

et la lointaine pulsation de la guitare basse venant du DMZ, et Lola entre et on cadre pile sa robe et ses seins prodigieux, et derrière elle viennent Jimmy Lowe et Ziggefoos et Flory... avec leurs tee-shirts, leurs muscles, leurs jeans serrés, leurs crânes rasés...

Quand Lola glisse la cassette vidéo dans le magnétoscope, la voix de Mary Cary reprend : « Lola avait promis à James Lowe, Virgil Ziggefoos et Randall Flory des vidéos " particulières ", et c'est ce qu'elle leur a montré. Ce qu'elle avait oublié de préciser, c'était en quoi elles étaient vraiment particulières. »

Maintenant on voit le trio et Lola, sur le siège pivotant, et ils regardent le téléviseur. Le solo de saxophone sexy extrait d'*Anyone Who Had a Heart* déroule sa mélodie, et la bande vidéo dont Lola Thong est la star commence. Dans les bois, avec ses seins qui vont éclater sous son corset, Lola explose sur les écrans de 175, 200, 250 millions d'Américains et, songea Irv, Ferretti avait tenu sa promesse envers sa jeune, souple et ingénue protégée américano-thaïlandaise (« On va diffuser Lola Thong dans toute l'Amérique ! »), et la voix de Mary Cary dit : « En guise d'introduction à leur propre confession, nous avons projeté aux trois soldats cette vision de Lola en costume d'époque... pour être certains d'avoir toute leur attention... »

133

On voit les trois rednecks assis sur le divan qui regardent la télé, dont l'écran est traversé par ces barres qu'on obtient quand on filme des images télédiffusées. Irv avait coupé tout le strip-tease de Lola et à présent on se rend compte, même avec cette mauvaise qualité d'image, que les meurtriers de Randy Valentine sont en train de regarder l'enregistrement où ils avouent qu'ils ont commis ce crime hideux, et Mary Cary dit : « Assis sur ce divan, ils ont tout regardé... tout ce que vous venez de voir. »

Les caméras cachées cadrent chacun des trois soldats, et chacun d'eux cligne furieusement des yeux. La bouche de Jimmy Lowe est entrouverte, mâchoire pendante ; Ziggefoos lui donne une tape sur le côté de la jambe et dit : « Ch'sais pas, Jimmy, mais j'aime pas sta *biip*. »

Jimmy Lowe se tourne vers Lola et dit : « Écoute, *biip*, Lola, j'veux savoar c'qui s'passe *biip*, et j'veux l'savoar tout d'suite. »

Et Lola ne cesse de répéter : « D'la télay interactiiive, interactiiive. »

Et Jimmy Lowe dit : « Tu peux interactiver ma *biip*, Lola. Ch'tai posé une simp'question. »

Et Lola dit : « Tu me crois pas ? Interactiiive, interactiiive, Jimmy ! J'vais t'montrer, Jimmy, tout d'suite ! Tiens, tu as une v'siteuse spéciale ! »

Et tout d'un coup les trois jeunes tueurs clignent des yeux, sidérés par ce qui surgit devant eux :

134

– Bonsoir, Jimmy. Je suis Mary Cary Broken-borough.

Je suis
Mérry
Kérry
Broken
Bérrouh

On voit le choc chez les trois jeunes et leur incrédulité face à l'apparition soudaine, au beau milieu du living-room du VR, derrière un bar topless de cinquième zone sur Bragg Boulevard, du visage féminin le plus connu des États-Unis. On les voit bouche bée et yeux clignotants, et ces damnés clignements, dans le langage implicite mais universellement connu des magazines d'actualité, veulent dire : *Coupables ! Coupables ! Coupables !*

Puis on les voit tous les trois, menés par Ziggefoos, qui essaient de tourner l'embuscade en plaisanterie. Ils commencent à presser Mary Cary de « S'couer ses puces » et de les accompagner au DMZ pour boire des « vodka cr'pus'cul ». Ziggefoos était trop sûr de lui, trop à l'aise, trop maître de la situation pendant cet échange, donc Irv s'était servi des caméras braquées sur Jimmy Lowe et Flory pendant que Ziggy parlait. On entend ses mots impudents et moqueurs, mais on voit les paupières des deux autres qui clignent, et disent : *Coupables ! Coupables ! Coupables ! Coupables !*

L'idée maîtresse – Ô moi, Irv Durtscher – était de faire passer la manœuvre plutôt cool de Ziggefoos pour la minable diversion d'un tueur cynique.

Mary Cary, au mieux de sa forme, ne cesse de balayer les tentatives des brutes pour éclipser tout le truc et faire virer la rencontre à la petite soirée *honky-tonk,* jusqu'à ce qu'elle finisse par dégonfler Ziggefoos lui-même, et alors celui-ci s'arrête et dit : « Kesk'tu sais d'tout ça ? »

Et Mary Cary dit : « Je sais ce que je viens de vous entendre dire – toi et Jimmy et Flory – avec vos propres mots. » Puis, à Jimmy Lowe : « Si ce n'était pas pour les raisons que tu évoquais, alors *pourquoi* as-tu agressé Randy Valentine ? »

Clignant furieusement des yeux, avec un air férocement coupable, Jimmy Lowe dit : « Tout aske j'ai dit c'est... »

Ziggefoos le coupe. « Ferme-la, Jimmy ! »

Puis Irv était passé sur la caméra qui cadrait le visage de Jimmy Lowe. Quel silence coupable, accablant, sur ce visage ! Et tous ces clignements de paupières ! *Coupable !* La brute a l'air aussi coupable dans cette séquence que s'il avait fait des aveux complets. *Du grand art !...*

Il avait permis à Ziggefoos de dire : « Y'a aucun d'nous qu'a à voir aque Randy Valentine. On sait rien de ski lui est arrivé. »

Mais ensuite il aurait dû couper et revenir aux caméras braquées sur Jimmy Lowe et Flory, pour saisir leurs visages effrayés, boudeurs, clignant des yeux, qui affirmaient, sans dire un mot : Nous aussi, nous savons ce qui est arrivé à Randy Valentine ! On a buté c'te pède ! Non, il avait été primordial pour Irv de couper la phrase suivante, qui était : Mais j'vais t'dire une chose...

Car cette « chose » était le début de la dissertation de Ziggefoos expliquant qu'il était non seulement déplaisant mais nuisible, et même mortellement nuisible, de permettre à des homosexuels de faire partie d'une « unité d'combat ». Au début, l'instinct d'Irv avait été de le laisser parler et de passer sans arrêt sur les moues coupables de ses deux camarades. Mais ça ne marchait pas. Que son visage fût à l'écran ou pas, les mots de Ziggefoos étaient implacables – bouseux mais implacables – comme les imprécations d'un Cotton Mather, d'un George Whitfield, d'un Dwight Moody, d'un Billy Sunday, et même de Calvin lui-même. Il fallait surtout qu'il se débarrasse de la séquence où Ziggefoos disait : « Vous, les gens d'la télay, vous f'riez mieux d'dire à l'Amérique qu'a f'rait mieux d'veiller sur ses Jimmy Lowes et ses Florys. » Il était hors de question de passer ça à l'antenne.

Quant au soliloque de Ziggefoos – ce soliloque que Mary Cary, avec tout son talent de comédienne, ne parvenait pas à interrompre – son soliloque sur le « feu » et la Somalie et le Bloody

Sunday – c'était de la dynamite pure, de la dynamite qui aurait pu péter à la gueule de Day & Night. Pendant le montage, tous les gens de l'équipe qui avaient accès aux bandes se passaient et se repassaient le soliloque de Ziggefoos sur le Bloody Sunday, soi-disant pour des raisons techniques mais en fait pour des raisons émotionnelles, et ils en sortaient si bouleversés, et d'une manière si perverse, qu'Irv s'était fichu en rogne et avait enfermé les bandes sous clé, et gardé la clé.

Il avait donc dû coupé l'intégralité de la tirade. Sur l'écran, grâce à la magie des caméras multiples, l'action passait directement de Ziggefoos disant : « On sait rien d'ski lui est arrivé », à un Jimmy Lowe vaincu qui disait : « Ouais, bah, t'as tout faux » et qui faisait à la caméra un geste comme pour l'éconduire, un geste faible et empreint de culpabilité, avant de se lever et de tourner le dos.

« C'est vray », dit Flory et il se lève et bat en retraite, petit mâle en rut empoisonné de culpabilité. « T'as tout faux. – Mais ce sont vos propres mots, dit Mary Cary, de vos propres bouches. – Ouais, mais v'zavez monté tout ça », dit Jimmy Lowe, désarçonné, en pleine retraite vers la porte.

Puis Ziggefoos rejoint Jimmy et Flory, et il a également l'air d'un chien battu.

Et maintenant, sur l'écran, de retour à New York, apparaît le grand vainqueur, Mary Cary

138

Brokenborough, derrière son pupitre futuriste dans le poste de commandement de la chaîne. L'expression sur son visage : la Justice Triomphante personnifiée. Elle entame sa conclusion – qu'elle avait ré-enregistrée – et qu'Irv avait écrite – le jour même, un peu plus tôt :

« Plusieurs juridictions, nationales, fédérales, locales et militaires ont déjà fait savoir à Day & Night qu'en diffusant ce que vous venez de voir ce soir nous violerions les lois sur la protection des conversations privées. » Elle marque un temps d'arrêt et ses fabuleux yeux bleus s'enflamment. « Peut-être l'avons-nous fait... Peut-être... Bien que notre propre conseil juridique ait été d'un avis contraire depuis le tout début. Pourtant, quelles que puissent être les conséquences légales de cette décision, nous savons très bien – et nous pensons que la plupart des citoyens de notre pays le savent aussi – que nous avons obéi à une loi bien plus importante... la plus vitale des traditions américaines, la tradition qui valorise, par-dessus tout, l'égalité... et la justice... sans se préoccuper de ce que les législateurs et les procureurs, qui vont et viennent, peuvent trouver à y redire... »

Procureurs !

Lui, Irv Durtscher, avait peaufiné le texte de cette Grosse Bouche Blonde, et tout à coup surgissait un *procureurs* !

Les implications de ce mot le frappèrent, une

horrible vague de peur surgie de son système nerveux central le submergea, et son cœur commença à battre la chamade à une allure alarmante.

Qu'ai-je fait ? La prison ! Ils vont m'envoyer en taule – et avec plaisir ! Ils ne vont pas la toucher, *elle*. Oh non, pas elle, pas Mérry Kérry Brokenbérrouh ! Ils vont me traiter comme le comptable, comme le comptable qui va en prison quand la Grande Célébrité triche sur ses revenus ! Ils vont saisir toutes les bandes comme pièces à conviction ! Ils vont voir ce que j'ai fait ! Truffé le DMZ d'écoutes illégales et de caméras cachées – violé les lois d'au moins quatre juridictions – cinq ans par tribunal – *le restant de ma-vie-que-je-vouais-au-travail !* La vidéo porno que j'ai concoctée avec Lola Thong – cette minable petite entraîneuse écartant les lèvres rouges de sa vulve en gros plan – je suis piégé ! – ils vont tout me coller sur le dos ! Chaque petit truc insidieux de montage que j'ai utilisé – ils vont tout visionner et tout révéler ! Les homos qui se pédérastaient toute la nuit sous des antennes de télé sur le toit de la pension – Randy Valentine à genoux, suçant la queue gonflée d'un parfait étranger à travers un trou dans la cloison des toilettes pour hommes d'un bouge de Bragg Boulevard – désormais ils sauraient, le pays entier saurait, non seulement que j'ai coupé, mais que j'ai trafiqué la conversation de ces trois skinheads pour la faire aller exactement où je voulais.

Des skinheads? Mais non! Aucun procureur ne verra les choses de la sorte! Ils vont demander ma tête! Comment ai-je osé traiter ainsi ces trois jeunes patriotes! Ils se sont battus pour leur pays pendant le Bloody Sunday en Somalie – et j'ai coupé tout ce qui parlait de *ça*! Ils ont risqué une mort certaine pour sauver leurs camarades, des *boys* américains blessés, saignant dans les rues de Mogadiscio – et vous, Mr. Durtscher, espèce de serpent, vous ne les avez même pas laissés le raconter, n'est-ce pas? Vous avez coupé la conversation jusqu'à ce qu'elle devienne une cruelle caricature de ce qui avait réellement été dit, n'est-ce pas? Vous l'avez découpée comme un boucher, puis vous avez pratiqué votre chirurgie esthétique, vous l'avez recousue et envoyée valser devant deux cents millions de paires d'yeux américains comme votre propre petit Frankenstein, n'est-ce pas, Mr. Durtscher? N'êtes-vous pas une de ces têtes molles médiatiques de New York, Mr. Durtscher? Nous allons vous faire plonger – avec *délectation*! – vous, le Satan de la Télé Mordante, l'arrogant Mr. Hyde qui pense qu'il peut piétiner les vies des gens, piétiner ceux qui ont le cran de se battre pour leur pays, pour que vous, Mr. Irv Hyde, puissiez permettre à votre amour pour la liberté de parole d'agir comme le venin d'une vipère, d'un cobra, ou d'un crotale! Nous allons faire de vous, Irv, un exemple de ce que les

Américains détestent instinctivement dans l'arrogance des médias et dans la perfidie reptilienne de la télé-piège ! Oui, vous, Irv Durtscher – espèce de petit serpent gluant, glissant et à sang froid, vous, tout crocs et sans *couilles* !

Le cœur d'Irv était maintenant parvenu non seulement à la tachycardie, mais à une terrifiante série de palpitations, et il s'enfonça dans son fauteuil. *J'ai une crise cardiaque ! j'ai...*

On entendit un *biip*. Irv regarda autour de lui. C'était le Dr Siebert, l'époux de Mary Cary, assis de l'autre côté, près de la femme du sénateur Marsh. Il sortit un petit téléphone cellulaire de sa poche. On pouvait l'entendre parler à mi-voix.

Puis il se leva et se dirigea à grands pas vers Snackerman et Mary Cary. L'image de Mary Cary était encore sur l'écran. Elle achevait son éclatante péroraison – la péroraison écrite par Irv – sur le fascisme ordinaire aux USA.

Néanmoins, Hugh Siebert dit à Snackerman : « Excusez-moi, je suis désolé », puis il dit à sa femme, avec un chuchotement théâtral que l'on pouvait entendre depuis l'autre bout de la pièce : « Désolé, chérie, il y a eu un accident sur la voie express FDR. Une fillette de onze ans – lacération sclérotico-cornéenne avec effusion de l'humeur vitreuse. »

Puis il sortit en coup de vent. Ce gros rondin pompeux à la mâchoire carrée et à la tignasse grise – il sortit littéralement en courant de la pièce, direction l'ascenseur. Tout le monde, Snackerman, Rusty Mumford, Martin Adder, tous autant qu'ils étaient, les épouses, Jennifer LoveRobin – c'est-à-dire tous sauf Mary Cary – tournèrent leurs caboches hors de l'emprise de l'écran Sony et cessèrent d'écouter la prose éclatante – celle d'Irv – que déversait la bouche de Sa Suffisance et ils regardèrent le chirurgien s'en aller en courant. Une urgence médicale ! Un de ces braves médecins ! Un sauveteur téméraire !

D'un air irrité, Snackerman se tourna vers Mary Cary et lui demanda :

– Qu'est-ce qu'il a dit ?

Mary Cary ne quitta pas un instant des yeux sa propre image sur l'écran et répondit :

– Une fillette de onze ans s'est pratiquement fait couper l'œil en deux, et l'intérieur s'écoule.

Cela fut suffisant. D'un coup, Irv se rassit bien droit. Son cœur battait encore très fort, mais sans peur maintenant. Maintenant – une haine propre, à l'ancienne, au rythme cardiaque normal pour de la haine, l'envahissait. Ce fils de pute ! Lui et son murmure théâtral à la Docteur Courage ! Lacération cornéo – meuuuuh ! Il s'était probablement *bipé* lui-même et a prétendu qu'il avait un appel ! Cette lavette pathétique qui durant le dîner ne pouvait même pas reprendre – ni même poursuivre – sa part de conversation, et maintenant il fallait qu'il vienne lui voler la vedette en jouant au Héros des Urgences pendant le point culminant du triomphe de sa propre femme – orchestré par moi, Irv Durtscher ! Et voilà que cette espèce de bloc de glace sculpté en forme de *fils-de-pute*...

« ... ce que nous savons être, dans nos cœurs, un appel pour réveiller l'Amérique. »

C'est fini. La dernière ligne durtschérisée est passée entre les lèvres de la déesse blonde et bleu Tiffany sur l'écran géant. Fondu au noir...

Tout le monde s'est levé. Snackerman et ses amis célèbres. Ils se sont tous tournés vers Mary Cary et ils sourient et ils applaudissent, de tout leur bon cœur. Mary Cary elle-même se tient debout, avec un sourire modeste, presque moite, sur son fameux visage, comme si tout cela était trop sérieux pour qu'elle se laisse aller au grand hurlement de triomphe qu'elle aimerait visiblement pousser.

Snackerman la prend dans ses bras, lui sourit et l'embrasse et on l'applaudit à nouveau. Même Cale Bigger, qui sait exactement comment ces programmes étaient montés, est emporté par le tourbillon Mary Cary/Snackerman le Roi Soleil, et leur donne le plus beau sourire de laquais lécheur de merde de toute sa vie. Irv se retrouva debout tout seul. Il serait damné s'il faisait les huit pas obséquieux qui le séparaient de cet entassement post-triomphal !

144

Plus tard, Cale s'extirpa de la foule bavarde, rieuse et exultante, et s'approcha d'Irv; il lui tendit la main et dit :

– Beau boulot, Irv! Très beau boulot!

Puis il sourit, baissa les yeux et secoua sa grosse tête rubiconde sur le mode « nom-de-Dieu-c'est-vraiment-trop », puis il regarda à nouveau Irv et dit :

– Sacré nom de Dieu, cette fille a des *couilles*, hein ?

TABLE

Imprimé en France par la Société Nouvelle Firmin-Didot
Dépôt légal : mai 1999
N° d'édition : 3019 – N° d'impression : 46510